특별한 아이에서
평범한 아이로

특별한 아이에서 평범한 아이로

자폐 아들의 ABA 치료 이야기

권현정·이은창 지음

캥거루북스
KANGAROOBOOKS

하늘을 날고 싶은 열망을 가진 사람은
결코 땅을 기어 다닐 수 없다.

-헬렌 켈러

자녀의 미래를 바꾸려는
부모님에게 경의를 표합니다

유원이와 저는 아주 먼 거리를 사이에 두고 태어났습니다. 우리는 같은 나라 사람이 아닐뿐더러 같은 대륙에 살지도 않습니다. 더군다나 같은 언어를 사용하지도 않습니다. 지구에 사는 79억 인구 중 우리가 만날 가능성은 거의 없었지만 천문학적인 확률을 뚫고 유원이를 만난 것을 보면 사람의 운명은 한 치 앞도 내다볼 수 없는 경이로움의 연속입니다.

사람들은 자폐스펙트럼장애가 있는 유원이를 불행한 아이라고 생각합니다. 그러나 사실은 정반대입니다. 오히려 유원이는 축복받은 아이입니다. 자녀를 진심으로 사랑하고, 자녀의 회복을 위해서라면 어떤 희생도 마다하지 않는 가정에서 태어났기 때문입니다. 아들을 돕기 위해 매사에 최선을 다하는 부모를 본다면 유원이가 축복받은 아이라는 것을 바로 알 수 있습니다.

유원이 어머니의 눈물겨운 노력으로 저는 유원이 인생 안으로 들어왔습니다. 우리가 처음 만났을 무렵 제가 일하던 ABA베어스ABABEARS 클리닉은 자폐 아이들을 성공적으로 치료해 상당한 성과를 내고 있었습니다. ABA베어스는 주로 미국 가정의 아이들에게 치료서비스를 제공하고 있었는데, 그중에 캘리포니아에 살던 소수의 한국인 가정이 있었습니다. ABA베어스는 치료 프로그램에 부모들의 참여를 권장하고 있으며, 부모가 자녀를 치료할 때 활용하도록 수업 녹화도 허용하고 있습니다.

어느 날 한국 부모 중 한 분이 자녀의 수업시간에 찍은 영상을 한국 부모들이 활동하는 ABA 커뮤니티에 올려 공유하기 시작했습니다. 한국 부모들이 전문 치료사가 진행하는 수업을 보고 싶어 했기 때문입니다. 회사가 알지 못한 채 이 은밀한 작업이 몇 주간 진행되었고, 얼마 후 제게 뜻밖의 메일이 도착했습니다. 커뮤니티에 올라온 영상을 본 한 어머니가 보낸 메일이었습니다. 그 어머니는 저희 회사가 자기 아이 치료를 도울 수 있는지 물었습니다. 첫 메일을 시작으로 한국 어머니들이 보낸 메일이 하루에 수십 통씩 ABA베어스로 쇄도했습니다.

그중에는 유원이 어머니 권현정 대표도 있었습니다. 우리는 서로 만난 적도 없고, 사용하는 언어도 다르고, 세계의 반대편에 살고 있었지만, 그녀는 도움을 받기 위해서라면 무엇이든 하려고 했습니다. 그녀는 아이의 미래를 바꾸기 위해 ABA베어스에 도움을 요청했으며, 가능한 모든 방법을 동원해 우리를 설득했습니다. 그 외에도 많은 한국의 부모들이 도움을 요청했는데, 그들이 보여준 용기와 신념에 존경심이 절로 나왔습니다.

그러나 끊임없이 메일을 보내 메일 수신함을 가득 차게 한 것까지 감사할 수는 없었습니다. 2015년 1월부터 2016년 6월까지 한국 부모들로부터 4,000개 이상의 이메일을 받았고, 메일이 너무 많아 나중에는 세는 것을 포기했습니다. 심지어 이메일 대부분은 제가 읽을 수 없는 한국어로 쓴 것이었습니다.

한국 부모들은 결연한 태도로 어디서든 희망을 찾아내려 한다는 것을 느낄 수 있었습니다. 저는 자녀를 향한 한국 부모들의 헌신을 깊이 존경하게 되었고, 이 같은 부모들의 간절한 바람이 있었기에 유원이와 만날 수 있었습니다. 그 점에서 ABA베어스가 한국에서 자폐 치료에 헌신하게 된 배경에는 권현정 대표를 포함한 부모들의 역할이 큽니다.

한국 부모들을 돕기 위해 ABA베어스는 통역사를 고용해 화상으로 부모 상담을 시작했습니다. 유원이는 상담 서비스의 첫 수혜자였고, 권현정 대표는 상담을 위해 파일럿 프로그램을 조정하는 역할을 담당했습니다. 이렇게 시작한 부모 상담으로 유원이를 포함한 아이들에게 작은 진전이 있었습니다. 그렇지만 온라인 상담만으로는 자폐를 치료하는 데 한계가 있었습니다. 아이들이 더 발전하기 위해서는 최선의 치료가 필요했습니다. 그것은 수준 높은 ABA 치료서비스를 직접 제공하는 것이었습니다.

이 문제로 고민하고 있을 때 놀라운 일이 일어났습니다. ABA베어스에서 일하던 공은지 선생님이 '한국 ABA 베어스 클리닉'을 세우는 일에 자원해 주었습니다. 공은지 선생님의 헌신적인 수고로 ABA베어스는 일산과 파주를 중심으로 소규모 클리닉을 설립했습니다. 그리고 유원이는 한국 ABA베어스에서 직접 치료를 받는 최초의 아이가 되었습니다. 직접 치료는 유원이와 그 가족의 삶에도 커다란 변화를 가져왔습니다.

제가 권현정 대표를 처음 만났을 때 그녀는 지금과는 다른 모습이었습니다. 자폐로 인한 스트레스 때문에 삶의 모든 면에서 악영향을 받고 있었습니다. 비슷한 처지의 다른 어머니들도 마찬가지였습니다. 직접 치료서비스를 받게 된 어머니들을 한국에서 처음 만난 날이 제게는 가슴 아픈 기억으로 남아 있습니다. 어머니들과 나누었던 대화는 전부 자폐에 관한 것이었습니다. 가족 여행, 자녀와의 추억, 엄마로 살아가는 일상 등의 이야기는 하나도 없었고, 오직 자폐 관련 이야기만 했습니다.

앞으로 무엇을 할지 미래의 계획을 물었을 때 돌아온 반응 역시 안타까웠습니다. 미래의 계획을 묻자 그들은 당황하는 기색이 역력했고, 오래전부터 미래의 계획에 대해서는 생각해 본 적이 없는 것 같았습니다. 자녀가 자폐 진단을 받은 후 삶이 송두리째 바뀐 이야기만 계속했습니다. '자폐'라는 글자가 쓰인 거대한 담벼락에 둘러싸인 상황에서, 그들은 그 벽 너머를 내다보지 못하는 것 같았습니다. 효과적인 치료는 아이를 위해 필요할 뿐만 아니라, 아이의 가족을 위해서도 필요하다는 생각이 들었습니다. 언젠가는 부모들이 '자폐'에 억눌리지 않고 자녀들과 자신들의 미래를 설계할 수 있도록 도와야겠다는 생각이 점점 더 확고해졌습니다.

저의 바람대로 현재 유원이는 필요한 치료를 받고 있습니다. 치료팀과 부모가 들인 수년간의 노력과 헌신으로 유원이의 미래는 다시 만들어지고 있습니다. 더 정확하게 말하면, 유원이는 '자폐'가 지배하는 미래에 짓눌리지 않고 스스로 미래를 꾸려나갈 수 있게 되었습니다. 자폐가 가져다준 어려움을 이겨내기 위해 고군분투하던 힘든 기억은 이제 자전거를 타고, 그림을 그리고, 친구들과 노는 행복한 추억으로 대체되고 있습니다. 어린 시절은 인생에서 가장 행복한 최고의 시절이 되어야 합니다. 어린 시절의 추억은 가족 관계를 돈독하게 하고 어떤 일을 만나든 맞설 수 있는 강인함을 키워줍니다.

유원이 이야기가 주는 교훈은 아이의 어린 시절을 바꾸어 주면 가족 모두 원하는 미래를 만들 수 있다는 것입니다. 그런 점에서 유원이 이야기는 아직 끝나지 않았습니다. '자폐'로 점철된 첫 장을 이제 막 마쳤을 뿐입니다.

우리는 유원이와 그의 가족 모두가 새로운 삶의 장을 열어가길 기대하고 있습니다. 희망 가득한 마음으로 그들의 미래를 바라보는 저는 유원이와 그의 가족이 앞으로 어떤 이야기를 써나갈지 정말 기대가 됩니다.

제임스 샬론

미국 ABA베어스 대표

아무리 대담한 사람도 자녀의 자폐스펙트럼장애를 알게 되면 눈앞이 캄캄해집니다. 높은 낭떠러지에서 떨어지는 것처럼 인생의 나락으로 추락하는 느낌이 듭니다. 그러나 비슷한 일을 겪고도 주저앉지 않고 적극적으로 자녀를 치료해 상황을 반전시킨 부모들이 있습니다.

미국의 캐서린 모리스Catherine Maurice는 자폐 자녀를 적극적으로 치료해 완치에 성공했습니다. 그녀는 자녀의 치료 경험을 담은《너의 목소리를 들려줘》Let me hear your voice를 출간해 자폐 부모들에게 큰 반향을 일으켰습니다. 일본에서 출간된 스기모토 미카의《엄마라고 불러줘서 고마워》도 부모가 자녀를 직접 치료해 성공한 이야기를 담아 자폐 부모들에게 희망을 주었습니다. 개인적으로 한국에서도 비슷한 책이 나오기를 기다렸는데, 마침내 반가운 소식이 들려 기쁘게 생각합니다.

ABA캥거루의 권현정 대표는 아들의 자폐스펙트럼장애로 자신의 꿈을 접어야 했지만, 좌절하지 않고 아이 치료에 매달렸습니다. 그 과정에서 ABA 치료를 알게 되었고, ABA를 통해 아이의 기능을 발전시켰습니다. 지금은 자녀를 치료한 경험으로 다른 발달장애 부모들을 돕고 있습니다.

그녀가 쓴《특별한 아이에서 평범한 아이로》는 발달장애 자녀를 치료하려는 부모의 간절한 마음과 경험이 담긴 책입니다. 아이를 치료하려던 저자의 간절한 마음이 책을 읽은 부모들에게 그대로 전해져 제2, 제3의 유원이가 계속해서 나오기를 기대합니다. 발달장애 부모들을 위한 저자들의 수고에 감사의 마음을 전합니다.

강신애 응용행동분석가(BCBA)

유원이가 지금까지 걸어오며 남긴 발자국은 자폐가 있는 또 다른 아이의 발자국과는 분명히 다를 것입니다. 치료 시기와 치료 방법, 아이에 대한 주 양육자의 집중도, 가족 관계와 지원 정도 등 모든 것이 같지 않기 때문입니다.

그런데도 우리가 유원이의 이야기를 읽고, 유원이의 삶을 들여다봐야 하는 이유는 '자폐 스펙트럼이 있는 내 아이를 더 잘 알기 위해서'입니다. 유원이 곁을 철저하게 지켜낸 유원이 부모님이 처음 유원이를 키울 때 우왕좌왕했다고 하지만, 그러는 동안 유원이 부모님은 '유원이'가 어떤 아이인지 정확하게 알아냈다고 생각합니다.

그래서 싸워야 할 때는 힘을 다해 싸우고, 고개를 숙여야 할 때는 고개를 숙여 유원이에게 가장 좋은 치료와 교육 환경을 만들어 낸 것입니다. 표현할 수 없는 수고와 눈물로 지금까지 걸어온 한 가정의 소중한 이야기를 통해 '내 아이'를 알아가는 새로운 시선과 결단을 가질 수 있기를 바랍니다.

김정란 서울서진학교 특수교사

제가 처음 유원이를 본 것은 생후 3개월 즈음입니다. 유원이는 많이 우는 아이였고, 걷고 말하는 것이 늦은 아이였습니다. 좀 예민하고 발달이 늦은 아이라고만 생각했는데, 자폐스펙트럼장애 판정을 받았다는 소식을 듣고 많이 놀랐습니다. 늘 밝고 아름답던 가정에 왜 하나님이 무거운 짐을 지우는지 이해할 수 없었습니다.

그러나 유원이가 치료를 통해 회복하는 과정을 지켜보면서 점차 그 이유를 알게 되었습니다. 유원이가 회복되어 우리 사회의 구성원으로 멋지게 살아가는 모습을 통해 많은 자폐 가정에 희망을 주려고 한 것 같습니다.

유원이는 많은 사람의 아낌없는 사랑과 희생적인 섬김, 그리고 눈물의 수고를 통해 점점 회복되고 있습니다. ABA 치료로 유원이의 발달기능이 회복되면서 유원이 가정은 잃어버렸던 평범한 일상을 조금씩 되찾고 있습니다. 유순하고 가녀린 유원이 어머니가 불굴의 의지로 아이를 치료한 것도 대단하지만, 이제 다른 자폐 가정을 돕기 위해 ABA캥거루라는 회사를 운영하고, 책까지 썼다는 사실이 놀랍기만 합니다.

유원이 회복을 위한 권현정 대표의 힘겨운 싸움은 같은 길을 걸어가는 부모들에게 롤 모델이 되었습니다. 이 책은 유원이 부모가 지난 10여 년간 쏟아부은 눈물과 희생의 결과물입니다. 이 책이 자폐 자녀를 양육하는 부모들에게 희망의 씨앗이 되길 바랍니다.

서지원 연세대학교 미래캠퍼스 교수

저는 세 아이의 엄마입니다. 아이들을 가르쳐온 저는 누구보다 육아에 자신이 있었습니다. 그러나 자폐가 있는 막내는 완전히 다른 세상의 아이였습니다. 자폐 아이를 키우는 것은 네비게이션 없이 낯선 길을 찾아가는 과정과 비슷했습니다. 아무리 관심을 유도해도 반응이 없고, 이유도 모른 채 2시간을 바닥에 드러누워 울고, 밖에 나가면 아무 곳으로든 걸어가고, 불러도 돌아보지 않는 아이를 어떻게 해야 할지 몰라 그저 치료실만 오갔습니다.

이렇게 아이와 힘든 시간을 보낼 때 권현정 대표를 통해 ABA캥거루를 알게 되었습니다. ABA캥거루 방송을 보며 ABA를 공부하였고, 이렇게 배운 내용을 하나씩 아이에게 적용하며 치료를 시작했습니다. 이후 매주 줌으로 미국에 계신 응용행동분석가 선생님의 컨설팅을 받으며 집에서 아이를 체계적으로 가르치게 되었습니다. ABA캥거루 덕분에 지난 1년 동안 아이의 기능이 크게 향상되었고, 이제는 아이와 함께 새로운 미래를 꿈꾸게 되었습니다.

저처럼 자녀의 자폐스펙트럼장애 앞에서 어디로 가야 할지, 무엇을 해야 할지 몰라 고민하는 부모들에게 기쁜 마음으로 이 책을 추천합니다. 저자들의 경험이 녹아든 이 책은 자폐 부모들이 당장 무엇을 해야 할지 가르쳐 줄 것입니다.

김경원 ABA캥거루 회원

프롤로그

지난 10년을 아들과 함께 긴 어둠의 터널을 걸어왔다. 그 터널을 아직 벗어나지 못했지만, 아주 멀리 희미하게 출구가 보이는 듯하다. 유원이는 다섯 살이던 2015년 자폐스펙트럼장애 판정을 받았다.

병원에서 자폐 판정을 받고 돌아오던 날을 잊을 수가 없다. 뒷좌석에 아이를 태우고, 앞 좌석에 나란히 앉은 우리 부부는 말로 형용할 수 없는 복잡한 감정에 사로잡혔다. "이제 어떻게 하지? 유원이는 회복될 수 있을까?" 발달검사 전부터 자폐를 의심하고 있었지만, 막상 중증 자폐라는 검사 결과가 나오자 눈앞이 캄캄했다.

막막한 현실 앞에서 우리는 탈출구를 찾기 위해 부단히 노력했다. 그 과정에서 ABA_{Applied Behavior Analysis, 응}

^{응용행동분석} 치료법을 알게 되었고, 미국의 'ABA베이스'라는 자폐 치료 클리닉으로부터 치료서비스를 무상으로 지원받는 기적 같은 일이 일어났다.

ABA를 처음 알게 된 것은 2014년 말이었고, 2015년 말부터 본격적으로 ABA 치료를 시작했다. 이듬해인 2016년부터는 ABA베이스의 도움으로 상담과 부모교육을 받았다. 2018년에는 한국에 ABA베이스가 들어와 직접 치료서비스를 제공했는데, 유원이는 첫 수혜자가 되었다. 그 혜택은 현재까지 이어져 매일 ABA로 가정에서 집중치료를 받고 있으니 특별한 행운이 아닐 수 없다.

지난 6년 동안 ABA 치료를 통해 유원이는 자폐스펙트럼장애를 상당 부분 극복했다. 그 결과 2020년 장애 재심사에서 장애 정도가 바뀌는 큰 변화가 있었다. 아이 치료에 매달리느라 우리 부부는 늘 힘겨운 시간을 보내야 했지만, 아이가 발전하는 모습을 보면 힘든 기억들이 눈 녹듯이 사라졌다. 이 세상 모든 부모의 마음이 비슷하지 않을까?

영화 〈미나리〉에도 비슷한 장면이 나온다. 〈미나리〉는 아메리칸 드림을 꿈꾸며 미국으로 건너간 이민 가족의 고달픈 삶을 다루고 있지만, 우리 눈에는 아픈 아들을 위해 분투하는 부모 모습이 더 와닿았다. 이민 가족이 낯선 타국에서 고달픈 삶을 참아내며 성공을 꿈꾸는 이유는 심장병을 앓는 아들의 치료 때문이다. 부부는 그 소원을 가슴에 안고 척박한 땅을 사들여 농사를 지으며 희망을 키운다. 그러나 경제적 도약을 앞둔 시점에 농산물 보관 창고가 화재로 잿더미가 되면서 가정은 다시 바닥으로 추락한다. 계속되는 불행의 한복판에서 아들의 심장 질환이 자연 치유되는 기적이 추락한 가정에 희망의 불씨를 남기며 영화는 끝을 맺는다.

〈미나리〉는 이민 가족의 고단한 삶을 보여주지만, 자폐 가정의 모습과도 유사하다. 자폐 자녀를 둔 가정은 아이 치료에 매달리느라 집은 늘 엉망이고, 생활은 쪼들리고, 시간에 쫓겨 숨 쉴 여유조차 없는 긴장의 연속이다. 또 자폐 자녀를 돌보느라 비장애 형제를 등한시할 수밖에 없어 부모들은 항상 죄책감에 시달린다.

아이 양육이 힘들다 보니 부부간에 갈등이 잦아 관계가 소원해지기도 한다. 너무 힘들 때는 "왜 자식을 낳아서 이 고생일까?" 탄식하며 후회하기도 한다. 이렇게 고달픈

인생이지만, 영화의 결말처럼 아이가 회복되는 해피 엔
딩이 기다린다면 얼마나 좋을까? 만약 그렇게 된다면 이
보다 더한 고통도 참을 것이다.

아이를 관찰한 전문가로부터 자폐가 의심된다는 말을
처음 들었을 때, 어떻게 하면 좋을지 몰라 발을 동동거리
던 기억이 난다. 책을 통해 정보도 얻고, 전문가들의 조언
도 받았지만, 아이의 미래를 위한 종합적인 안내는 받을
수 없었다.

미국에서는 자폐가 의심된다는 의사소견을 받으면 발
달검사에서 치료에 이르는 일련의 과정을 공공기관이 안
내한다. 약간의 사설 의료보험료를 내면 ABA 같은 치료
서비스도 일정 시간 무상으로 받을 수 있다.

반면에, 우리나라에서는 자폐가 의심된다는 의사소견
을 받아도 발달검사부터 치료에 이르는 전 과정을 부모
가 직접 해결해야 한다. 부모가 자녀를 병원에 데려가 직
접 검사를 받고, 진단에 따른 치료도 부모가 알아서 진행
해야 한다. 게다가 약간의 바우처를 제외하면 치료비도
전부 개인 부담이어서 가정의 경제적 부담도 적지 않다.

유원이도 의사로부터 발달장애가 의심된다는 소견을

받았을 때 종합적인 안내를 받을 수 없어 많은 시행착오를 겪어야 했다. 다행히 유원이는 좋은 멘토와 치료사들을 만나 일찍부터 치료에 전념할 수 있었다. 전문가의 지도를 받은 덕분에 우리 부부 역시 도움이 필요한 사람에게 조언을 건넬 정도로 전문성을 갖게 되었다. 아이 문제로 도움을 요청하는 부모 중에는 아이를 치료하고 싶은데 방법을 몰라 애태우는 경우가 많았다. 그때마다 작은 도움이라도 주고 싶어서 우리의 치료 경험을 들려주곤 했다.

또 아이 치료나 진로와 관련해 중요한 선택을 할 때면 우리 부부는 밤을 새우며 다양한 의견을 나누었다. 이렇게 쌓인 이야기들을 정리하다 보니 어느새 한 권의 책이 되었다. 우리 경험과 지식이 아직은 미약하지만, 당장 자녀의 치료를 고민하는 절박한 부모들에게 작은 도움이라도 되고 싶어 출간을 계획하게 되었다.

부모라면 누구나 자녀가 평범한 아이보다 특별한 아이로 성장하기를 바란다. 그러나 자폐 자녀를 키우는 부모들은 자녀가 특별한 아이보다 평범한 아이로 성장하기를 바란다. 우리 부부의 바람도 크게 다르지 않았다. 배움이 느리고 학업 성적이 부진해도 유원이가 평범한 아이로 자라주길 바랐다. 최근에는 자폐를 개인의 고유한 특성으로 이해하며 그것을 인정하고 받아들여야 한다는 주장도 있지만, 부모인 우리는 그럴 수 없었다. 우리는 아이가 자폐를 극복하길 바랐고, 치료를 통해 극복할 수 있음을 입증하고 싶었다.

이 책은 우리 부부의 경험을 고스란히 담고 있으며, 자폐 아이가 ABA 치료로 발전하는 일련의 과정을 생생히 보여준다. 무엇보다 아이 치료에 도움이 된 ABA를 소개하는 것이 책의 중요한 목적이다. 일부 내용은 치료와 직접적인 관련이 없지만, 부모가 잘못된 정보에 현혹되지 않고 뚝심 있게 치료에 매진하도록 자폐스펙트럼장애 관련 정보들을 추가했다.

책 내용은 아이의 치료 과정을 기록한 이야기와 자폐스펙트럼장애에 관한 정보로 구성되어 있다. 앞의 이야기는 유원이 엄마 권현정이 주로 썼고, 뒤의 이야기는 유원이 아빠 이은창이 썼다. 우리는 치료 전문가가 아니기에 일부 내용은 독자들에게 충분하지 않을 수 있다. 그 부분은 우리 역량의 한계이므로 독자들의 양해를 구한다.

내일은 오늘보다 나을 거라는 희망을 간직한 채 자녀 회복을 위해 매일매일 분투하는 부모들에게 이 책이 작은 도움이라도 되길 바란다.

유원이가 ABA 치료를 받을 수 있도록 최선을 다해 도와준 ABA베어스의 제임스 살론James Salon 대표님과 응용행동분석가BCBA인 밥 첸Bob Chen 선생님에게 진심으로 감사드린다. 두 분의 아낌없는 지원으로 유원이는 ABA 집중치료를 받으며 발전을 거듭해 왔다. 일생을 걸고 자폐와 싸우는 분들을 만난 것이 우리 가족에게는 최고의 행운이었다.

한국의 자폐 아동을 위해 미국의 안정적인 삶을 포기하고 국내에 들어와 희생적이고 열정적으로 유원이를 치료해 준 응용행동분석가 공은지 선생님께도 감사의 마음을 전한다. 유원이의 변화는 공은지 선생님을 만나면서 시작되었다고 해도 과언이 아니다.

매일 불편한 집을 방문해 유원이를 교육한 치료사 선생님들께도 깊이 감사드린다. 처음부터 한결같이 자리를 지켜준 양승민 선생님과의 동행이 유원이에게는 큰 축복이었다.

부족한 원고를 직접 읽고 더 나은 책이 되도록 조언과 격려를 아끼지 않으신 서해문집의 김흥식 대표님과 더나누기의 박세경 주간님께 특별히 감사를 드린다. 두 분이 없었다면 이 책은 독자들을 대면하기에 너무나 부끄러운 책이 될 뻔했다. 이 외에도 우리 가정이 어둠의 터널을 통과할 때 작은 등불을 들고 길동무가 되어준 이웃들의 사랑과 은혜에 머리 숙여 감사드린다.

끝으로 동생 때문에 제대로 돌봄을 받지 못했음에도 해맑게 자라준 딸에게 고마움을 전한다. 늘 동생을 사랑하고 아껴준 누나 덕분에 유원이는 넘치는 사랑을 누릴 수 있었다. 매일 ABA 치료로 힘든 시간을 보내면서도 불평하거나 싫어하는 내색 없이 묵묵히 인내하면서 자신의 한계를 극복해 가는 유원이가 정말 자랑스럽다.

유원이는 20대를 앞둔 시점에 장애 재심사를 받는다. 청소년기를 거쳐 청년기로 진입하는 유원이는 어떤 모습으로 바뀌어 있을까? 멋진 청년으로 성장해 자폐가 극복 가능한 장애임을 보여주면 좋겠다. 10대를 살아낸 유원이의 성장 이야기를 가지고 다시 독자들을 만나고 싶다.

"오직 하나님이 몸을 고르게 하여 부족한 지체에게 귀중함을 더하사 몸 가운데서 분쟁이 없고 오직 여러 지체가 서로 같이 돌보게 하셨느니라"(고린도전서 12장 24~25절)

2022년 6월

자폐 아들과 행복을 꿈꾸는 권현정, 이은창

차례

01

유원아, 반가워!

아기는 뱃속에서 9개월, 품 안에서 3개월,

가슴 속에서 당신이 죽을 때까지 존재하는 무엇이다.

- 메리 메이슨

2011년 7월 10일은 유원이가 지구여행을 시작한 날이다. 나는 출산 전부터 아들 맞을 준비로 분주했다. 5년 동안 딸을 키워온 터라 아들을 맞이하기 위해서는 새로운 준비가 필요했다. 출산에 필요한 물품을 사고 아이가 입을 옷도 미리 준비했다.

새로운 식구를 맞이할 생각에 가족들도 마음이 들떠 있었다. 임신 기간에 조기진통을 여러 번 겪었기에 출산 예정일이 다가올수록 긴장감이 높아졌다. 조마조마한 마음으로 하루하루를 보내고 있었는데, 출산 예정일을 20여 일 앞두고 양수가 터졌다. 부랴부랴 출산 준비물을 챙겨 병원으로 향했다. 우리 가족과 유원이의 첫 만남은 이렇게 갑작스럽게 이루어졌다.

아들을 처음 만난 날

아이가 태어난 날은 갓 시작된 무더위가 기승을 부리던 여름날이었다. 출산 전까지만 해도 에어컨이 돌아가는 시원한 병실에 머물러 더운 줄을 몰랐다. 출산 후 들어선 병실은 냉방 장치를 켤 수 없어 숨이 턱턱 막혔다. 첫째도 여름에 태어나 고생했는데, 둘째 때는 더위가 한층 더 심해 산후조리 기간 내내 뜨거운 열기를 참아야 했다. 그렇지만 새로운 자녀를 얻은 기쁨은 한없이 커서 입가에 미소가 사라지지 않았다.

동생이 있었으면 좋겠다던 첫째 아이의 간절한 바람에도 우리 부부는 오랫동안 둘째 아이를 갖지 못했다. 신혼 초에 가족 중 한 명이 중병을 앓게 되면서 오랫동안 우리가 돌봐야 했기 때문이다. 힘든 시간을 보내는 동안 딸은 우리 가족에게 많은 위로와 힘을 주었다. 또 예의 바르고 사교성이 넘치는 딸은 어디서든 사람들의 사랑을 받았다. 딸이 정말 사랑스러워 빨리 둘째 아이를 갖고 싶었지만, 가정의 어려움이 좀처럼 해결되지 않았다. 오랜 기다림 끝에 가정이 안정을 되찾으면서 자연스럽게 출산을 계획했고, 얼마 후 기다렸다는 듯이 둘째 아이가 선물처럼 찾아왔다.

출산 과정은 순조롭지 않았다. 첫째 아이 때는 일을 하지 않아서 출산에 어려움이 없었다. 태교를 열심히 하며 건강에 신경 쓴 덕분에 어려움 없이 순산했다. 둘째를 임신했을 때는 일을 하고 있어서 상황이 녹록지 않았다. 사무실에 출근하면 끊임없이 밀려드는 일에 태교는 꿈도 꾸지 못했다. 늘 피로에 찌들어 몸 상태가 좋지 않았다. 위태로운 일상을 잘 버티는가 싶었는데, 조기진통이 오면서 병원 입·퇴원을 반복하는 위험한 상황이 이어졌다.

처음 입원했을 때 의사는 산모와 태아를 염려해 절대 안정을 취하라고 했다. 그러나 분주한 일상생활로 복귀하자 그럴 여유가 없었다. 매일 일에 쫓기다 보니 조기 출산을 걱정하는 마음이 점차 무뎌졌다. 위급한 상황을 넘기자 언제 그랬냐는 듯이 나는 또 일에 매달렸다. 결국,

조기진통으로 다시 입원하면서 의사의 눈총을 받았다. 응급처치를 통해 겨우 안정을 되찾았지만, 임신 기간 내내 조기 출산의 두려움이 따라다녔다. 위험한 시기를 겨우 넘기고 나서 양수가 터진 것이 그나마 다행이었다.

양수가 터진 날 급히 출산 준비물을 챙겨 남편과 함께 산부인과로 향했다. 병실에 입원해 촉진제를 맞으며 아이 맞을 준비를 했지만 밤새 진통이 없었다. 초조한 마음으로 잠을 이루지 못한 채 거의 뜬눈으로 하룻밤을 보냈다. 남편은 아이 이름을 어떻게 지을지 고민하며 내 곁을 지켰다. 새벽녘에 진통이 시작되면서 상황이 긴박하게 돌아갔다.

힘겨운 진통 끝에 힘찬 울음소리와 함께 아기가 태어났다. 출산 직전에 분만실에 들어와 기다리던 남편이 아기의 탯줄을 잘랐고, 간호사가 아기를 천으로 감싸 내 품에 안겨주었다. 그때 느꼈던 감격은 아무리 시간이 흘러도 잊을 수가 없다.

아이가 태어나기 전부터 우리 부부는 아이의 미래를 생각하며 어떻게 키울지 많은 계획을 세웠다. 우리는 아이가 성공해서 많은 부와 명예를 얻는 대신 우리 사회에 조금이라도 이바지하는 사람이 되길 바랐다. 고통받는 사람들의 눈물을 닦아주고 연약한 사람들을 위로하는 사람이 되길 바랐고, 불의에 굴복하지 않는 정의로운 사람이 되길 바랐다. 아이가 태어나면 그런 희망을 담아 기도해 주고 싶었다.

아이들을 출산한 산부인과에서는 아이가 태어나면 기도해 주는 전통이 있었다. 첫째 아이가 태어났을 때 간호사는 아이가 밝고 건강하게 자라 행복한 아이가 되게 해 달라고 기도했다. 남편은 그 기도가 마음에 들지 않았는지, 그 자리에서 다시 기도하고 싶다고 했다. 남편은 아이가 홀로 행복을 누리기보다 많은 사람에게 유익한 사람이 되게 해 달라고 기도했다. 또 불의에 맞서 정의를 추구하는 의로운 사람이 되게 해 달라고 기도했다.

둘째 아이가 태어났을 때는 남편이 나서서 먼저 기도하고 싶다고 했다. 남편은 병원 사람들에게 기도의 기회를 빼앗기고 싶지 않았던 것 같다. 우리의 소원을 담아 이 땅에서 정의와 공의를 행하는 의로운 아이로 자라게 해 달라고 기도했다. 남편의 기도를 들은 병원 직원들은 다소 황당했을 것 같다.

우리는 행복했다

임신 기간 내내 긴장과 고통의 시간을 보내서 그랬는지 출생의 기쁨은 더 컸다. 첫아이를 낳은 지 5년 만에 얻은 둘째 아이를 품에 안고 흥분한 상태로 하루를 보냈다. 아이를 바라보기만 해도 세상 전부를 얻은 것 같은 기쁨과 감격이 밀려왔다. 아이가 너무 사랑스러워 한시도 눈을 뗄 수 없었다. 무조건 자식이 예뻐 보이는 고슴도치의 마음이 이런 것일까. 마치 내 분신처럼 느껴져 보기만 해도 사랑스러웠다.

기다리던 동생을 마주한 딸도 동생을 무척 아끼고 사랑했다. 아이가 심하게 울어 진정이 안 될 때도 딸이 다가가 놀아주면 금방 울음을 그치고 함박웃음을 지었다. 사랑스러운 딸이 있어서 행복했는데, 아들까지 곁에 있으니 행복이 두 배가 되었다.

결혼했어도 아이를 낳기 전까지는 어른이라는 생각이 들지 않았다. 부모의 자리에 서기 전까지 나는 여전히 자녀라는 신분에 머물러 있었다. 그러나 자녀가 생기는 순간 나는 부모라는 신분을 갖게 되었다. 자녀를 책임지고 양육하는 무거운 책임과 의무가 뒤따르면서 나의 삶도 완전히 달라질 수밖에 없었다.

평소 아이를 그리 좋아하지 않았는데, 아이를 낳고 나니 내 아이만큼은 무척 사랑스러웠다. 힘들고 지칠 때도 아이들을 통해 많은 위로와 용기를 얻었다. 아이들 덕분에 사소한 일에도 웃을 수 있었다. 내게 아이들은 그 자체로 특별한 존재였다.

이후 시간이 흐르면서 유원이가 정말 특별한 아이라는 사실을 서서히 알게 되었다. 그 때문에 부모로서 짊어질 양육의 책임과 의무도 더 클 수밖에 없었다. 시간을 과거로 되돌려, 임신 중에 아이에게 장애가 있다는 사실을 알았다면 어떻게 했을까? 그래도 아이를 낳았을까? 누군가 묻는다면, 나는 주저하지 않고 대답할 것이다. "무조건 아이를 낳을 겁니다." 내가 이렇게 큰소리치는 것은 생명 존중 사상이 충만해서 그런 것이 아니다. 내가 사는 동안 유원이보다 더 사랑스러운 아이를 만날 것 같지 않기 때문이다.

02

넌 어느 별에서 왔니?

아이를 낳은 후 누렸던 기쁨과 환희는 오래가지 않았다.
아이를 양육하는 일이 어느 순간부터 힘들었던 탓이다.
매일 아이의 변화를 지켜보며 행복했던 첫째 아이를 키
울 때와는 확연히 달랐다. 몇 달이 지나자 하루하루 아이
한테 시달린다는 느낌이 들었다.

처음에는 그게 뭔지 알 수 없어 답답했다. 시간이 흐르
면서 아이가 어딘지 모르게 일반 아이와 다르다는 생각
이 들었다. 유원이가 일반 아이와 다르다는 것을 확실히
알게 된 것은 어린이집에 다니면서다.

출산 후 쉬던 일을 다시 시작하면서 육아를 병행하기
어려웠다. 어쩔 수 없이 낮에라도 잠시 아이를 어린이집
에 맡기기로 했다. 큰아이도 일찍부터 어린이집에 보냈

는데, 워낙 사회성이 좋아 어린이집 가는 것을 항상 즐거워했다. 유원이는 너무 예민한 아이라서 걱정이 앞섰으나 큰아이 경험에 힘입어 생후 8개월 즈음에 어린이집에 보내기 시작했다.

처음 어린이집에 다니는 아이라면 낯선 환경에 적응할 기간이 필요하다. 유원이는 낯선 환경에 민감한 아이라서 적응 기간이 더 길것으로 예상했다. 그러나 막상 등원을 시작하자 유원이가 보인 행동은 나의 예상을 훨씬 뛰어넘는 것이었다.

어린이집에서 쫓겨나다

등원하는 날이면 아침마다 그야말로 전쟁을 치렀다. 출발 전부터 울기 시작한 아이는 어린이집에 도착할 때까지 울음을 멈추지 않았고, 어린이집 앞에서 들어가지 않겠다며 울고불고 난리였다.

그게 끝이 아니었다. 억지로 어린이집에 들여보내고 나면 그곳에 머무는 내내 울음을 멈추지 않았다. 시간이 지나면 나아지지 않을까 생각하며 기다려 봤지만, 아이 행동은 좀처럼 바뀌지 않았다. 외부 손님의 방문이 예정된 날은 어린이집 이미지가 훼손될까 봐 유원이 등원을 보류해 달라고 요청할 정도였다.

처음에 반갑게 맞아주던 교사들도 서서히 태도가 바뀌더니 마침내 인내의 한계에 도달한 듯했다. 더 이상 아이를 돌볼 자신이 없다며 원장이 나서서 유원이 등원을 중단해 달라고 요청했다. 그 말을 듣자 서운한 감정이 복받쳤다. '어린이집에서 이렇게 아이를 내쫓아도 되나?' 아이가 쫓겨나는 거 같아 불쾌했는데, 원장이 덧붙인 말이 화를 더 돋웠다. "유원이에게 문제가 있는 것 같아요. 병원에 가서 검사를 받아보세요."

이미 감정이 상한 상태라 그 말이 귀에 들어올 리 없었다. 원장이 책임을 회피하려 아이 탓을 하는 거 같아 화가 났다. 나중에는 어린이집에서 쫓겨났다는 억울함보다 형편없는 곳에 아이를 맡겼다는 후회가 몰려왔다.

그러나 시간이 흐른 후, 어린이집 원장의 충고가 얼마나 소중한 것인지 뒤늦게 깨달았다. 오랫동안 아이들과 생활한 사람만이 알 수 있는 직감을 오히려 우리 부부가 무시한 것이다. 원장의 말을 듣고 일찍 발달검사를 했더라면 아이를 위한 대응도 더 빨랐을 것이다. 어린이집 원장의 권면을 그냥 흘려보낸 것이 아쉬움으로 남는다.

어린이집 등원을 중단하자 유원이는 빠르게 안정을 되찾았다. 나는 다시 육아와 일을 병행하면서 힘든 시간을 보냈다. 때마침 인근 행정복합센터에 개설된 유아 프로그램이 있어 참여 신청을 했다. 남편이 아이를 데리고 참석하여 잠시나마 쉴 틈을 얻었다. 어린이집처럼 혼자 지내지 않고 아빠가 동행하니 거부감 없이 프로그램에 잘 참여했다.

반면에, 여전히 불안한 모습도 눈에 띄었다. 하루는 목걸이를 만들어 아이에게 걸어주는 놀이를 했었다. 완성된 목걸이를 목에 걸어주려는 순간 유원이는 심한 짜증을 내며 완강히 거부했다. 감각적으로 민감한 부분을 건드리면 유원이는 여지없이 감정을 폭발했다. 또 돌 전후로 이미 걷기 시작한 또래와 달리 유원이는 걷지 못했다. 걷고 뛰며 다양한 활동을 하는 아이들 곁에서 유원이는 여전히 기어 다녔다. 자세히 보니 유원이의 성장 과정에서 나타나는 이상 징후가 한둘이 아니었다.

가장 두드러진 것은 언어 지체 현상이었다. 돌이 되었을 무렵 유원이는 '아빠'라는 말을 처음으로 했다. 아이가 말을 시작했기에 언어 지연을 의심하지 않았다. 그러나 그게 전부였다. 말하는 법을 잃어버린 것처럼 아이는 한동안 말을 하지 않았다. 남자아이는 여자아이보다 말이 느리다는 주변 사람들의 말을 듣고 처음에는 심각하게 생각하지 않았다. 다행히 시간이 흐르면서 유원이는 조금씩 말하기 시작했지만, 일반 아이들이 말하는 모습과는 확연히 달랐다.

자폐스펙트럼장애가 있는 아이는 생후 18~36개월 사이에 퇴행을 겪는 경우가 많다. 정상적인 발달을 보이던 아이도 퇴행을 겪고 나면 발달 지체 현상이 나타난다. 부모가 아이의 자폐성 장애를 뒤늦게 발견하는 이유가 여기에 있다. 유원이도 비슷한 시기에 퇴행을 겪으며 우리 부부를 헷갈리게 했다.

운동 능력도 다른 아이들보다 현저히 떨어졌다. 일반 아이는 돌 전후로 걷는다. 큰아이도 돌이 되자마자 걷기 시작했다. 유원이는 돌이 지나도 걸을 기미조차 보이지 않았다. 조마조마한 마음으로 기다렸는데, 18개월 무렵에 간신히 걷기 시작했다. 그 모습을 보고 안도했으나 그게 끝이 아니었다. 걷기 시작한 아이는 특이한 행동을 했다. 까치발로 걸을 때가 많았다. 까치발로 걷는 행동이 자폐 증상 중 하나라는 사실을 그때는 몰랐다. 아이 행동에 의문을 갖고 인터넷 검색만 했었어도 자폐 증상임을 좀 더 일찍 알았을 것이다.

걷기 시작한 아이는 이제 시간이 지나도 뛰지 않았다. 아주 낮은 계단이나 물건 위에 올라도 뛰어내리는 법이 없었다. 오죽 답답했으면 밤마다 공원에 데려가 뛰는 연습을 시켰을까. 자폐가 있는 아이는 언어뿐만 아니라 대·소근육의 발달도 느리다는 사실 역시 나중에야 알았다. 자폐성 장애는 특정한 영역에서만 발달이 지체되는 것이 아니라 다양한 영역에서 발달 지체 현상을 보인다. 한때 자폐성 장애를 '전반적발달장애'Pervasive Developmental Disorder라고 부른 이유이기도 하다.

우리 가족이 가장 힘들어했던 유원이 행동은 시도 때도 없이 터지는 울음이었다. 무언가 마음에 들지 않으면 울기 시작했고, 일단 울기 시작하면 쉽게 울음을 그치지 않았다. 또 유원이의 울음은 일반 아이의 울음과는 달랐다. 거의 괴성에 가까운 소리를 내며 울었는데, 그 울음소리가 우리 가족에게는 큰 스트레스였다. 또 일단 울고 나면 아무리 달래도 웬만해선 울음을 멈추지 않았다.

처음에는 울음이 문제였지만, 점차 분노 폭발까지 더해지면서 아이의 문제행동은 극에 달하고 있었다. 자폐 스펙트럼장애Autism Spectrum Disorder가 있는 아이의 전형적인 모습이었다. 이 정도라면 충분히 의심할 만했다. 그러나 '설마 아이에게 장애가?'라는 막연한 현실 부정이 나의 이성을 마비시켰다. 게다가 더디긴 해도 유원이가 조금씩 말도 하고, 표정도 좋아지면서 나는 녀석의 연기력(?)에 속고 있었다.

태아의 생명 보존 능력

대부분의 선천성 장애는 고도로 발전한 의학기술 덕분에 임신 중 확인이 가능하다. 산전 검사를 통해 장애가 확인되면 현행법상 합법적인 낙태 사유가 된다. 장애가 있는 태아가 낙태로 사라지면서 다운증후군 같은 선천성 장애아의 출생이 급격히 감소하고 있다.

반면에, 자폐는 선천성 장애이지만 출생 후 성장 과정에서 증상이 나타나므로 임신 중에는 검사해도 장애를 확인할 수가 없다. 선천성 장애이지만, 장애 증상은 후천적 성격을 띠는 것이다. 이런 자폐의 고유한 특성 때문에 자폐가 있는 태아는 낙태를 피해 살아남을 수 있었다.

자폐스펙트럼장애를 극복하고 최고의 동물학자가 된 템플 그랜딘은 일반 사람들의 복잡한 감정을 이해하는 것이 자신에게는 마치 '화성의 인류학자가 된 것 같은 느낌'을 갖게 한다고 했다.[1] 일반인과 다른 방식으로 느끼고 생각하고 행동하는 자폐인의 독특한 특징을 상징적으로 표현한 말이다.

그녀의 말처럼 자폐인은 자기 주변 사람들의 생각과 행동을 이해하기가 어렵다. 우리 눈에는 그들이 이해되지 않는 것처럼 그들 역시 우리가 이해되지 않는다. 그래서 그들은 마치 자신들이 다른 행성에서 온 사람처럼 느낀다. 나는 자폐인이 고유한 특징을 갖고 있다는 템플 그랜딘의 주장에 동의한다. 그들은 지구에서 살아가는 보통의 사람들과는 다른 방식으로 생각하고 행동한다. 이것을 이해하지 못하는 인간은 자신과 다른 인간의 출현을 용

납하지 않는다.

반면에, 나는 자폐스펙트럼장애를 태아의 고유한 특성일 뿐만 아니라 태아의 생존본능으로 이해한다. 장애 유무를 확인해 장애가 있는 태아를 죽이려는 인간의 잔혹한 행위에 맞서 스스로 생명을 지키려는 태아의 생존본능 말이다. 죽음의 칼날을 피하려고 아기들은 장애를 숨기고 태어난다.

따라서 자폐스펙트럼장애가 있는 아이들의 출생은 그자체로 기적이다. 그러나 출생과 함께 장애가 표면으로 드러나면 아이들은 생존을 위한 새로운 싸움을 시작해야 한다. 그때부터는 부모가 아이들을 지키기 위한 싸움에 나서야 한다. 그것은 곧 나에게도 닥칠 일이었다.

냉장고 엄마 이론

자폐아를 자녀로 둔 부모라면 자폐 원인이 궁금할 수밖에 없다. 어떤 질병이나 장애든 원인을 알아야 예방과 치료도 가능하기 때문이다.

1943년 소아정신과 의사 레오 카너Leo Kanner는 자폐가 조현병이나 지적 장애와 다른 특정한 범주의 장애라는 사실을 최초로 밝혀냈다. 이후 자폐는 점차 새로운 장애 유형으로 받아들여졌지만, 자폐 원인을 밝히기 위한 과학적 연구는 제대로 이루어지지 않았다.

과학적 연구가 부재한 틈을 타 그 공백을 메운 것은 정신의학자들의 잘못된 확신이었다. 그들은 자녀를 충분히 사랑하지 않는 엄마의 잘못된 양육이 자폐 원인이라고 주장했다. 1940년대 후반에 시작된 이런 인식은 이후 수십 년 동안 의학계의 정설로 통용되었다.

1948년 4월《타임》지는 최초로 자폐 아이들에 관해 보도했는데, 이 기사는 의학계의 잘못된 주장을 대중적으로 확산하는 결과를 가져왔다.

《타임》지는 자폐 원인을 자녀를 냉담하게 대하는 부모 탓으로 돌리며 자폐 부모들을 비난했다. 냉담한 부모에게 자녀 양육을 맡기는 것은 자녀를 '성에 제거 기능이 작동하지 않는 냉장고에 넣어두는 것'과 같다고 한 레오 카너의 말을 인용함으로 '냉장고 엄마'라는 말을 크게 유행시켰다.[2]

자녀의 자폐가 부모의 잘못된 양육에서 기인한다는 '냉장고 엄마 이론'은 자폐 자녀를 둔 부모들에게 극심한 죄책감과 고통을 안겨주었다.

특히, 주 양육자인 엄마에게 비난이 집중되면서 자녀 양육을 힘들어하는 엄마들을 한층 더 고통스럽게 했다. 자폐 아이를 검사하는 병원에서는 엄마의 혐의점을 찾으려는 시도가 빈번하게 이루어졌다. 고통받는 부모들을 위로하는 모습은 찾아보기 어려웠고, 그들에 대한 비난만 횡행했다.

냉장고 엄마 이론에 그럴듯한 상상력을 입혀 대중을 현혹한 사람은 의학이나 심리학은 공부한 적도 없는 브루노 베텔하임Bruno Bettelheim이라는 학자였다.

예술사를 공부한 그가 자폐 전문가 행사를 한 자체가 난센스였는데, 그의 터무니 없는 주장이 검증되지 않은 채 퍼져나갔다. 그는 자폐의 발병 원인을 나치 수용소에 갇혀 인간성을 해체당한 사람이 겪었던 일과 비슷한 경험에서 찾았다. 나치 수용소에서 온갖 학대와 수난을 겪은 사람이 인간의 존엄성을 상실한 것처럼 부모의 냉담한 양육으로 정신적 해체를 경험한 아이들의 현실 도피가 자폐로 나타난다고 주장했다.[3]

1948년 레오 카너까지 냉장고 엄마 이론에 가세하면서 문제를 더 키웠다. 카너는 1943년 논문에서 자폐를 선천적 장애로 규정했다. 그러나 1940년대 말부터 입장을 완전히 바꿔 엄마가 자녀를 충분히 사랑하지 않는 데서 자폐가 생긴다는 주장에 편승했다. 카너의 주장에 대한 부모들의 비판과 반발이 계속되자, 결국 카너는 자신의 의도가 잘못 전달되었다는 해명과 함께 자폐가 부모 책임이 아니라고 선언할 수밖에 없었다. 그러나 '성에 제거 기능이 작동하지 않는 냉장고'라는 그의 수사학적 표현은 수십 년 동안 자폐를 부모의 양육 탓으로 돌리는 불행한 결과를 낳았다.[4]

이후 과학적인 연구를 통해 자폐가 부모의 양육 태도와 관련이 없다는 사실이 밝혀지면서 '냉장고 엄마 이론'도 점차 힘을 잃게 되었다. 그런데도 이 낡은 이론이 한국에서는 여전히 위력을 발휘하곤 한다. 일부 의사들이 눈맞춤이 어렵고 사회적 반응이 적다는 이유로 자폐를 "반응성 애착 장애"로 진단하기 때문이다.

반응성 애착 장애는 부모가 아이에게 충분한 관심과 애정을 주지 않는 양육자의 방임으로 발생한다. 따라서 선천성 장애인 자폐스펙트럼장애와는 완전히 다른 후천적 장애이다.

의사가 잘못된 진단을 내리면 부모는 아이를 제대로 양육하지 못했다는 죄책감에 시달리며 엉뚱한 치료에 매달리게 된다. '반응성 애착 장애'라는 진단명이 주는 부정적 인식 때문에 아이 부모의 가족들 역시 양육의 문제점을 지적하며 부모 비난에 가세한다. 자녀의 자폐 원인을 부모의 잘못된 양육 탓으로 돌리는 '냉장고 엄마 이론'이 한국에서는 아직도 변형된 형태로 작동하는 것이다. 그러나 자폐스펙트럼장애는 선천성 장애이므로 부모와 자녀의 애착 형성과는 아무 관련이 없다.

03

자폐, 의심에서 확인까지

나는 살면서 복권을 산 적이 한번도 없다. 도박, 복권, 경마 등 사행성 산업의 폐해를 일찍부터 알았기에 타인의 희생으로 만들어진 욕망의 강에 발을 담그고 싶지 않았다.

좀 더 개인적인 이유를 든다면 거액의 복권 당첨 같은 기적이 우리에게 일어날 리 없다고 믿었다. 나는 길을 걷다가 그 흔한 100원, 500원짜리 동전도 주워본 일이 별로 없다. 이토록 운이 없는 내가 천문학적인 확률을 뚫고 복권 1등에 당첨된다니 그게 가능한 일인가. 그래서 나는 복권을 사지 않았고, 앞으로도 사지 않을 것이다.

행운은 나에게 늘 인색했다. 불행도 똑같이 인색했으면 좋으련만 불행은 그렇지 않았다. 불행은 늘 내 주변을 맴돌았다. 심지어 복권 1등 당첨만큼이나 어려운 확률을 뚫고 내 생을 덮치는 기적을 연출하기도 했다. 이게 무척이나 신기했다. 인생에서 끔찍한 불행을 맛본 사람이라면 나와 생각이 비슷할 거다.

우리 부부는 결혼 직후 가족 중 한 명이 중병을 앓아 긴 어둠의 터널로 들어섰다. 몇 년의 고생 끝에 겨우 그 불행의 터널에서 빠져나오나 싶었는데, 병원에서 마주한 의사가 이번에는 아들을 향해 의학적 불행을 선고했다. 의사는 초조해하는 나의 모습이 안쓰러웠는지 검사 결과를 아주 조심스럽게 전했다. "유원이에게 자폐가 있네요." 아이의 운명이 걸린 일이므로 의사도 보호자가 받을 충격이 신경 쓰이는 듯 보였다.

아이의 운명을 결정짓는 진단이 의사에게는 앞서 내렸을 수많은 의학적 선고 중 하나겠지만, 나에게는 법정의 유죄 선고처럼 깊은 절망감을 안겨주었다. 그 순간 나는 슬픈 영화의 주인공처럼 하늘을 향해 탄식하며 외쳤다. "왜 하필 내 아이입니까?" 나는 그 상황이 꿈이길 바랐으며, 꿈에서 빨리 깨어나길 기다렸다. 시간이 흘러도 아이 모습이 바뀌지 않는 것을 보고, 비로소 꿈이 아님을 깨달았다.

유원이 세 살 때 우리 가족은 신도시로 이사를 했다. 전에 살던 집 인근에는 병원이나 편의시설이 부족해 일상생활에 제약이 많았다. 한밤중에 아이가 아프면 응급실이 있는 병원을 찾아 상당한 거리를 이동해야 했다. 새로 이사한 집 주변에는 병원을 포함한 편의시설과 교육기관이 많아 전처럼 고생하지 않았다.

나는 업무가 늘어나면서 종일 아이를 돌보는 게 힘들었다. 게다가 주변의 교육 여건도 좋아 다시 어린이집에 보내고 싶은 생각이 서서히 들기 시작했다. 처음 어린이집에 보냈을 때 받은 충격에서 완전히 벗어나지 못해 결정을 내리기까지 고민을 거듭했다. 아기 때에 비해 격한 울음과 과잉 반응은 많이 줄었지만, 아직 안심할 단계는 아니었다.

조심스럽게 어린이집을 방문해 상담을 받고, 적응 기간을 거친 후 큰 문제가 없다면 어린이집에 보내기로 했다. 일주일의 적응 기간에 유원이는 별 탈 없이 어린이집에 머물다 돌아왔다. 처음에는 다소 긴장하는 모습이었지만, 심하게 울면서 등원을 거부하는 일은 없었다. 어린이집에 머물렀다는 것이 생활을 잘했다는 뜻은 아니다. 엄마 아빠가 보내니 마지못해 갔을 뿐 어린이집을 좋아한 것은 아니다. 그렇지만 처음 어린이집을 다녔을 때처럼 심하게 울거나 짜증 내지 않고 어린이집을 오가는 모습만으로도 대견했다.

그러나 그게 전부였다. 사회성이 부족한 유원이는 다른 아이와 전혀 어울리지 않았고, 어린이집 한편에서 자기만의 세계에 머물다 돌아오는 경우가 대부분이었다. 자기가 좋아하는 미끄럼틀이 있어서 어린이집에 가는 것 같기도 했다. 이런 사실도 어린이집에서 제대로 이야기해 주지 않아 나중에서야 알았다.

다른 아이들과 단절된 채 홀로 지내다 돌아왔을 아이를 생각하면 지금도 미안한 마음이 든다. 돌이켜보면 유원이는 치료의 골든타임을 무의미하게 흘려보내고 있었다. 유원이가 어린이집 등원을 시작하고, 나의 일상도 조금씩 안정을 되찾으면서 아이를 향해 곤두섰던 예민한 촉각이 조금씩 무뎌지고 있었다. 그렇게 10개월이 지나 유원이는 네 살이 되었다.

건강검진에서 발견한 이상 조짐

유원이가 30개월이 되었을 무렵 동네 소아과를 방문해 건강검진을 받았다. 담당 의사는 또래와 비교해 언어발달이 늦다며 언어치료를 받아보라고 권했다. 예상치 못한 결과에 나는 병원을 나서자마자 곧바로 언어 치료실로 달려갔다. 언어 검사를 진행한 언어 치료실 원장은 내게 뜻밖의 말을 들려주었다. "아이에게 자폐가 있는 것 같아요. 자폐 때문에 언어 지연도 생긴 거 같고요. 병원에 가서 발달검사를 받아보세요."

그때 처음으로 자폐가 의심된다는 말을 들었다. 청천벽력 같은 말이었으나 '자폐'라는 단어가 생소해 그 말을 듣고도 심각성을 알지 못했다. 아이에게 뭔가 문제가 있다는 생각은 이전부터 하고 있었지만, 그게 심각한 장애일 거라고는 전혀 생각하지 못했다. 집에 돌아와 자폐 관련 자료를 찾아 보았다. 언어 치료실 원장 개인의 견해라 자폐인지는 아직 확실하지 않았다. 우선 유원이에게 자폐가 있는지 정확한 확인이 필요했다.

자폐 관련 자료는 온라인에서 쉽게 찾아볼 수 있었다. 찾아낸 자료를 토대로 자폐 증상을 유원이에게 하나씩 대입해 보니, 확실히 자폐로 보이는 부분이 있는가 하면 애매한 부분도 있었다. 자폐 같다는 생각이 들 때는 온몸에서 힘이 빠졌고, 자폐가 아닌 것처럼 느껴질 때는 안도의 한숨이 나왔다. 시소를 타듯이 극과 극을 오가는 감정 속에서 자폐가 아니길 바랄 뿐이었다.

나중에 안 사실이지만, 자폐 증상을 하나하나 대입해 자폐 여부를 판단하는 것은 판단의 오류가 생길 수 있다. 자폐의 정식 명칭을 '자폐스펙트럼장애'Autistic Spectrum Disorder라고 정한 것은 자폐 범주가 넓고 다양한 성향을 띠기 때문이다. '스펙트럼'이라는 포괄적인 단어로 자폐의 범주를 확장한 이유이기도 하다. 따라서 일부 자폐 증상이 나타나지 않는다고 해서 자폐가 아니라고 단정할 수 없다. 최근에는 의사소통의 결함, 제한적이고 반복적인 행동, 발달기능의 손상 등의 증상을 보일 때 자폐로 간주한다. 이 기준으로 보면 유원이는 확실히 자폐스펙트럼장애 범주 안에 있었다.

유원이에게 자폐가 있어요

자폐스펙트럼장애가 의심된다는 이야기를 들은 후 발달

검사를 신청했다. 대학병원의 경우 발달검사를 받으려면 짧게는 6개월, 길게는 1년을 기다려야 할 정도로 대기자가 밀려있었다.

서울의 한 대학병원에 발달검사를 예약했는데 운 좋게 결원이 발생해 3개월 만에 예비 검사를 겸한 진료를 받았다. 예약 시간에 맞춰 병원을 방문한 날 병원 내부에 문제가 생겨 무척 긴 시간을 기다린 끝에 진료를 받았다.

진료실에 들어가 간단히 아이 상태를 설명하자, 담당 의사가 장난감을 주고 아이 행동을 관찰하기 시작했다. 발달검사를 위한 예비진료였지만 병원의 일반 진료에 비해 진료시간이 길었다. 각종 치료실에서 진행하는 발달검사는 시설이나 분야의 특성상 제한적일 수밖에 없지만, 대학병원에서 진행하는 진료와 발달검사는 훨씬 정교하고 종합적이라는 느낌을 받았다. 아이를 관찰한 의사가 지나가듯이 한마디 툭 던졌다. "아이 발달기능이 아주 나빠 보이지 않네요." 우리 부부에게는 희망을 주는 말이었다.

예비진료를 받고 3개월 후에 발달검사를 받으러 다시 병원으로 향했다. 아이를 배려하며 검사를 진행하느라 검사 시간이 제법 길었다. 담당 의사는 이번에도 우리부부를 안심시켰다. "검사 결과를 봐야 알겠지만, 자폐가 아닐 수도 있어요!" 자폐가 아닐 수 있다는 말이 자폐가 아니라는 말로 들려 머리 숙여 고맙다고 할 뻔했다.

당시 나는 전문가의 말에 아이 운명이 결정되기라도 하는 것처럼 전문가의 말에 일희일비하고 있었다. 전문가로부터 자폐 같다는 말을 들으면 곧바로 절망했다가, 자폐가 아닌 것 같다고 하면 기뻐서 어쩔 줄 모르는 양극단을 오가고 있었다.

발달검사를 마치고 일주일 후에 검사 결과를 들으러 다시 병원으로 향했다. 앞서 주치의는 유원이를 좋게 평가해 주었다. 부모를 위로하려고 한 말이었으나, 내심 좋은 결과를 기대하며 병원으로 향했다. 진료실에 들어섰을 때 의사의 책상 위에 검사 결과지가 놓여 있었다. 검사 결과를 자세히 살펴보던 의사의 표정이 점점 어두워졌다. "생각보다 검사 결과가 안 좋네요. 유원이에게 자폐가 있어요." 순간 마음이 녹아내리는 기분이었다.

그때는 자폐스펙트럼장애가 무척 힘든 장애라는 것을 알아서 제발 자폐가 아니길 간절히 바라고 있었다. 결과는 자폐 2급의 중증 장애였다. 주치의도 검사 결과를 보고 당황하는 기색이 역력했다. 유원이를 향한 의학적 선고가 내 마음을 무너뜨리고 있었다.

왜 자폐가 생겼을까?

도대체 왜 유원이에게 자폐가 생긴 것일까? 첫째 딸 아이가 건강하게 잘 자랐기 때문에, 유원이의 자폐스펙트럼 장애가 무척 당황스러웠다.

아이에게 인생의 짐을 지운 것 같아 한동안 죄책감에 시달려야 했다. 처음에는 자폐의 원인을 나의 개인적인 경험이나 행위에서 찾으려고 했다.

임신 기간을 더듬어 보니 두 가지 일이 마음에 걸렸다. 임신했던 그해 겨울, 나는 회사 사무실에 장시간 머물며 일했다. 종일 건조한 사무실에 머물렀기 때문에 태아 건강을 생각해 곁에 가습기를 두고 생활했다. 조금 더 쾌적한 환경을 위해 가습기 살균제를 사용한 게 화근이었다.

2011년 가습기 살균제에 치명적인 독성물질이 포함되어 있다는 사실이 언론을 통해 보도되었다. 공교롭게도 내가 사용한 가습기 살균제는 가장 많은 피해자를 양산

한 회사 제품이었다. 출산 직전부터 쏟아지기 시작한 언론 보도가 막연한 불안감을 주었지만, 언론 보도가 잠잠해지자 나의 불안감도 차츰 가라앉았다.

유원이는 그해 여름에 태어났고, 정확히 4년 후 중증 자폐성 장애 판정을 받았다. 자폐 원인으로 가습기 살균제를 의심한 배경에는 한 시사잡지에 실린 가습기 살균제 피해 여성의 인터뷰 영향이 컸다.

임신 기간에 가습기 살균제를 사용한 피해 여성은 자기 아이가 자폐 판정을 받자 가습기 살균제를 자폐 원인으로 지목했다. 인터뷰 기사를 읽는 순간 과거 가습기 살균제를 사용한 기억이 떠오르며 한동안 의구심을 떨쳐버릴 수 없었다.

또 다른 의심 대상은 임신 기간에 여러 차례 반복된 조기진통이었다. 임신 기간에 세 번이나 조기진통을 겪으며 입원과 퇴원을 반복했다. 처음 입원했을 때 의사는 절대 안정을 취하라고 충고했지만, 매일 처리할 일들이 쌓이면서 그 충고를 무겁게 받아들이지 못했다. 조기진통으로 입·퇴원을 반복하는 동안 태아 건강이 걱정되었지만, 아이가 장애를 갖게 될 줄은 꿈에도 생각하지 못했다.

아이가 자폐 판정을 받고 나서야 건강을 챙기지 못한 것을 후회했다. 내 잘못으로 아이에게 장애가 생긴 것 같아 한동안 죄책감에 시달렸다.

그러나 냉정하게 따져보면, 내가 겪은 일이 자폐의 직접적인 원인이라는 증거는 없다. 나타난 결과를 두고 원인을 밝히려다 보니 임신 당시 마음에 걸리던 일이 생각났을 뿐이다. 냉장고 엄마 이론은 내 안에서도 무의식적으로 작동하고 있었다.

자폐 조기 발견의 중요성

미국의 소아정신과 의사 아미 클린Ami Klin 박사는 자폐를 조기 발견하기 위해 다양한 연구를 진행한 학자로 유명하다. 그는 자폐 아이들이 아기 때부터 눈 맞춤을 제대로 못 하는 현상에 주목해 연구를 진행했다. 실제로 자폐가 있는 유아들은 사람과 사물을 구분하는 일을 어려워한다.

아미 클린 박사는 유아의 눈을 주기적으로 관찰해 2세이전의 자폐 유아가 일반 유아들과 다르게 반응한다는 사실을 밝혀냈다. 그 발견에 기초해 클린 박사는 출산 직후부터 주기적으로 유아의 눈동자를 검사하면 자폐의 조기 발견이 가능하다고 주장했다. 그는 자기의 이론을 입증하기 위해 아이의 눈동자를 관찰하는 의료 장비를 직접 개발하기도 했다.[5]

자폐의 조기 발견이 중요한 이유는 자폐를 치료하는

시기를 앞당길 수 있기 때문이다. 전문가들에 따르면 자폐 아이가 조기집중치료를 받으면 장애가 완화되고 심지어 완치될 수도 있다. 따라서 자폐 회복을 위해서는 조기 치료가 중요하고, 조기 치료를 위해서는 자폐를 최대한 빨리 발견하는 것이 중요하다.

통계에 따르면 미국에서는 평균적으로 5세에 자폐 진단을 받는다. 의료 서비스로부터 소외된 저소득층 자녀의 경우 장애 진단 시기가 더 늦다. 자폐 진단이 늦어지면 치료 시기를 놓쳐 장애를 완화하기 어려워진다. 성인 장애인이 증가할수록 정부가 지출하는 사회적 비용도 늘어난다. 발달장애인을 위해 막대한 비용을 지출하는 미국도 복지 서비스 비용의 대부분이 청소년기 이상의 성인에게 집중되어 있다.

상황이 이런데도 미국 정부가 자폐의 조기 발견과 치료를 위한 노력에 소홀하다는 비판이 제기되고 있다. 그래도 미국은 자폐 치료를 위한 사회적 인프라가 구축되어 있어 다른 나라들에 비하면 나은 편이다.

우리나라는 생후 2주부터 영유아 건강검진을 주기적으로 실시해 발달장애를 조기 발견할 수 있는 시스템이 마련되어 있다. 다만 영유아 건강검진이 주로 부모 진술에 의존해 이루어지기 때문에 검사 결과를 전적으로 신뢰하기 어렵다. 더 안타까운 점은 자폐 진단을 받아도 치료 환경이 조성되어 있지 않아 제대로 된 치료를 받을 수 없다는 것이다. 그렇다고 자폐의 조기 발견과 조기 치료를 위한 노력을 게을리할 수는 없다. 열악한 치료 환경에도 불구하고 치료에 힘쓰면 아이의 장애를 상당히 완화할 수 있기 때문이다.

자폐와 맞서 싸우는 전문가들 덕분에 자폐 발견 시기가 앞당겨지고 있다. 그러나 첨단기술에 기반한 의료 장비가 기술검증을 거쳐 지역 병원에 상용화되고, 의료보험이 적용되기까지는 앞으로도 상당한 시간이 필요하다. 게다가 아무리 좋은 장비를 갖추어도 부모가 적극적으로 검사에 임하지 않으면 첨단 의료 장비 역시 무용지물이다.

후천적 증상을 띠는 자폐스펙트럼장애는 부모의 주의 깊은 관찰과 적극적인 태도에 따라 발견 시기가 결정된다. 아이 행동이 조금이라도 의심되면, 주저하지 말고 발달검사를 받는 게 좋다. 자폐는 조기 발견과 조기 치료를 통해서만 장애 정도를 완화할 수 있기 때문이다. 아이가 성장하면서 발달이 늦거나 이상 행동을 보인다면, 부모는 아무리 예민해도 지나치지 않다.

04

자폐, 치료할 수 있을까?

유원이는 자폐 진단을 받기 전에 언어치료를 먼저 받았다. 유원이에게 치료는 그 자체로 새로운 도전이었다. 낯선 공간을 두려워하는 자폐 아이 특유의 성향 때문에 치료실에 들어서는 것부터 힘들어했다. 어르고 달래서 겨우 치료실에 들여보냈지만, 치료 과정 역시 순탄치 않았다. 아이는 치료 시간 내내 치료사의 말을 듣지 않고 저항하는 기색이 역력했다. 치료사 역시 아이의 문제행동으로 치료에 어려움을 겪는 듯했다.

나는 집에서도 아이를 치료하고 싶었다. 상담시간마다 치료사에게 가정에서 아이를 치료할 방법을 알려달라고 부탁했다. 또 집에서 아이와 할 수 있는 과제도 내달라고 요청했다. 그러나 언어 치료사는 부모가 치료에 참여하기를 원치 않았다. 아이는 전문 치료사만 치료해야 한다는 원칙이 확고했다. 이 문제를 두고 언어 치료실과 내 입장이 엇갈리면서 약간의 갈등이 생겼다. 서로의 입장 차를 좁히지 못해 어쩔 수 없이 치료를 중단해야 했다.

한동안 치료를 쉬다가 지인의 소개로 새로운 언어 치료실에 다니기 시작했다. 이곳에서 만난 치료사는 아이를 무척 예뻐해 주었고 치료에도 적극적으로 임했다. 치료사의 긍정적인 에너지 덕분에 아이의 치료실 적응이 빨랐고 치료받는 태도도 좋아졌다.

보통 자폐 아이는 공감 능력이 부족하고 다른 사람의 감정을 잘 읽지 못한다고 알려져 있으나 유원이를 보면서 그렇지 않다는 생각이 들었다. 상대방으로부터 존중받고 있다고 느낄 때는 상대방을 대하는 태도가 달랐다. 비장애 아이들처럼 감정의 교류가 깊지 않아도 상대방의 마음을 읽는 것이 느껴졌다.

치료실을 순례하다

언어치료를 시작으로 아이의 부족한 기능을 향상하기 위해 다양한 치료실 순례가 시작되었다. 비록 생활은 넉넉지 않았지만, 아이를 치료하고 싶은 간절한 마음에 이것 저것 가리지 않고 할 수 있는 모든 치료에 도전했다.

감각적으로 예민한 부분을 없애기 위해 감각통합 치료 실에 다녔고, 인지능력을 끌어올리기 위해 인지 치료실 에 다녔다. 약한 대·소근육을 키우기 위해 운동재활 치료 실에 다녔고, 나중에는 유아 미술학원과 미술 치료실에 도 다녔다.

계획을 세우고 치료하기보다는 좋다는 치료를 무조건 찾아다녔다. 치료 효과를 생각할 겨를도 없이 아이의 문 제점이 보이면 거기에 맞는 치료를 닥치는 대로 받았다. 이것저것 다양한 치료를 받았지만, 가시적인 치료 효과 는 거두지 못했다. 유원이가 받았던 치료가 잘못되어서 그런 것은 아니었다. 치료받을 수 있는 기본적인 자세가 아이에게 확립되어 있지 않았다.

학습지가 아이의 언어와 인지 향상에 도움이 되었다는 인터넷 게시글을 보고 방문 학습지를 신청한 적이 있다. 방문교사가 첫 수업을 진행한 날이 잊히지 않는다. 유원 이는 의자에 앉기는커녕 자기 마음대로 돌아다녔다. 아 이의 관심을 유도하려는 교사가 이것저것 해 보았지만,

유원이는 전혀 반응이 없었다. 어린이집 공개수업 때도 아이가 집중하지 못하고 돌아다니는 모습을 보긴 했었다. 그땐 아이를 데려와 앉히면 어느 정도 착석이 가능했기에 큰 문제로 생각하지 않았다.

그러나 방문교사의 지시를 따르지 않고 제멋대로 행동하는 유원이 모습은 다소 충격으로 다가왔다. 한 주가 지난 후에도 유원이 태도는 바뀌지 않았다. 더 이상의 수업은 무의미하다고 생각해 어쩔 수 없이 방문 학습을 중단했다.

책 읽기가 언어발달에 도움이 된다는 이야기를 듣고 300만 원을 들여 동화 전집을 구매한 적도 있다. 다소 부담되는 금액이었지만 한 달에 30만 원이 넘는 언어치료비를 생각하면 괜찮은 투자라고 생각했다. 성장 단계에 맞춰 3년 동안 필요한 책을 공급받으며 책 읽기를 시도했으나 아이의 언어 수준을 끌어올리는 데는 실패했다. 오히려 시간이 갈수록 또래와의 격차가 더 벌어졌다. 정보가 부족했던 나는 닥치는 대로 이것저것 시도할 뿐 제대로 된 효과는 거두지 못하고 있었다. 아이가 가진 근본적인 문제가 해결되지 않는 한 어떤 치료와 학습도 효과가 있을 것 같지 않았다.

치료 전문가를 만나면 도움이 될까 싶어 유능하다고 소문난 치료사를 찾아가기도 했다. 기대를 품고 찾아간 만남은 얼마 지나지 않아 실망으로 이어졌다. 치료를 바라는 부모의 간절한 바람과 달리 소위 전문가라는 사람은 아이를 돈벌이 대상으로 여기는 것 같았다. 상담비용도 이야기해 주지 않고 간단한 검사와 상담을 진행하더니 다짜고짜 고액의 상담비를 요구했다. 상담 후에는 매달 수백만 원 상당의 치료 프로그램을 권하기도 했다.

비싼 상담비를 낸 만큼 속 시원한 해답이라도 얻었다면 억울하지는 않았을 것이다. 그는 전문가의 권위를 내세워 부모가 이미 알고 있는 내용을 그럴듯한 말로 포장해 전달할 뿐이었다. 그의 말대로 치료받으면 아이가 회복될 수 있냐고 물었더니 정작 본인도 치료 효과를 확신하지 못했다. 상담은 무척 실망스러웠다. 치료를 명분 삼아 사회적 약자를 상대로 장사한다는 생각밖에 안 들었다.

이대로 포기해야 하나?
나보다 앞서 자폐 자녀를 키운 부모를 찾아가 조언을 구하기도 했다. 경제적으로 여유가 있는 부모는 비싼 치료실에 다니며 아이를 치료하고 있었다. 그런 치료를 받을 수 없어서 이야기를 듣는 내내 부러웠다.

그러나 치료 과정을 자세히 알지 못하는 부모는 아이 치료가 제대로 진행되는지 알지 못했다. 많은 돈을 들여 치료하면 아이가 좋아질 거라는 막연한 기대만 품고 있는 듯했다.

보통의 부모들은 정부에서 제공하는 바우처에 개인 비용을 더해 언어, 인지, 감각통합, 운동 등의 치료를 받고 있었다. 부모들은 할 수 있는 한 최선을 다해 치료에 임하고 있었지만, 치료 효과가 있다고 말하는 부모들은 만나기 어려웠다. 자폐 자녀를 키우는 부모들은 아이가 성장함에 따라 서서히 태도가 바뀌는 것을 보았다.

아이가 자폐 진단을 받은 직후에는 돈과 시간을 쏟아부으며 어떻게든 치료하려고 애를 쓴다. 아이에게 치명적인 장애가 있는데 어떤 부모가 그렇게 하지 않겠는가. 그러나 들인 노력만큼 치료 효과가 나타나지 않으면 아이를 치료하려는 부모의 열정도 서서히 식어간다. 시간이 흘러도 치료 효과가 나타나지 않으면 더는 치료에 연연하지 않고 자녀의 자폐를 숙명으로 받아들인다.

자녀 치료에 매달리느라 노후 준비도 할 수 없었던 한 어머니가 후회하는 것을 본 적이 있다. 효과도 없는 치료에 많은 돈을 썼다며 차라리 치료비를 모아 아이와 함께 보낼 노후를 준비하는 게 나았을 것이라고 했다. 치료를 위해 많은 돈을 쓰고도 자녀가 회복되지 않아 낙심한 어머니의 뒤늦은 후회였다.

성인이 된 자폐 자녀와 살아가는 부모들의 상실감은 더 컸다. 그들도 한때는 아이 치료와 교육에 매진했었다. 아이가 성장하면서 더 이상 회복되지 않자 어쩔 수 없이 치료를 포기하고, 아이의 연약함을 끌어안은 채 살아가고 있었다. 독립적인 삶이 불가능한 자녀 앞에서 점점 늙어가는 부모들은 한없이 무기력했다. 그래서 그런지, 부모들은 치료를 통해 아이 회복을 기대하는 나에게 냉소적인 태도를 보이기도 했다. 아이를 치료하고 싶었으나 치료 효과를 경험하지 못한 부모들이 겪는 답답함은 미래에 마주할 나의 모습이기도 했다.

자폐 치료는 이론적으로 가능하나 성공적인 효과를 거둔 사람은 찾아보기 힘들었다. 전문가들은 자폐 치료에 희망적인 전망을 제시하지만, 현실에서 마주하는 것은 온통 절망과 탄식뿐이었다. '현실을 인정하고 아이에게 작은 행복을 만들어 주는 것으로 만족해야 할까?' 나는 중요한 선택의 갈림길에 서 있었다.

아이가 자폐를 조금이라도 회복한 사례를 보면 부모가 적극적으로 치료에 매진하거나 돌본 경우가 많았다. 자폐 치료에 있어서 부모의 역할은 확실히 중요했다. 그러나 부모가 열심히 치료에 매달린 것만으로 치료 효과를 인정하기에는 석연치 않은 구석이 있었다.

부모가 아이를 어떻게 치료했는지 구체적인 치료방법을 언급하지 않았기 때문이다. 열심히 치료실을 오가며 치료에 매진했다고 말하는 부모가 있는가 하면, 어떤 부모는 틀에 박힌 치료 대신 아이를 자유롭게 키운 것이 아이 발전에 도움이 되었다고 했다. 같은 치료를 받는데도 어떤 아이는 치료 효과가 있다고 하고, 어떤 아이는 치료 효과가 없다고 했다. 치료에 관한 다양한 목소리가 존재하지만, 모두가 인정할 만한 보편적인 치료는 찾을 수가 없었다.

어떤 연유인지 모르지만, 나는 자폐 치료가 가능하다고 믿고 있었다. 단순히 믿는데 그치지 않고 그걸 입증하고 싶었다. 그래서 절망하고 주저앉기보다는 치료방법을 적극적으로 찾아다녔다. 치료가 가능하다는 나의 믿음은 완전하지 못해 다른 한편으로는 의구심도 있었다. '자폐 치료는 정말 가능할까? 만약 치료가 안 된다면 유원이는 어떻게 하지?' 이런 의구심이 들 때면 막막한 생각이 들면서 절망에 휩싸이기도 했다.

그러나 그때는 치료에 대한 의구심보다 아이의 회복을 바라는 간절함이 더 컸다. 어떻게든 아이를 치료할 방법을 찾고 싶었다. 국내에서 완치된 사례가 있는지 찾아봤지만 발견하기 어려웠다. 간혹 자녀가 완치되었다고 말하는 부모가 있었으나 자녀의 자폐 정도를 언급하지 않아 신뢰하기 어려웠다. 아무리 찾아봐도 중증 자폐가 있는 아이의 완치 사례는 찾아볼 수 없었다.

나는 유원이처럼 중증 자폐스펙트럼장애가 있는 아이의 완치 사례를 확인하고 싶었다. 그 열망이 얼마나 컸던지 미국에서 온 전문 치료사를 처음 만났을 때도 가장 먼저 그걸 물었다. "미국에서 완치된 아이를 본 적이 있나요? 유원이 정도의 자폐스펙트럼장애면 완치될 수 있나요?" 나의 돌직구에 치료사는 신중하게 답했다.

자폐는 완전 치료가 불가능하지 않지만, 아이에 따라 치료 결과가 다르다고 했다. 아이마다 자폐 정도와 증상이 다르니 섣불리 대답하기 어려웠을 것이다. 자폐를 치료 불가능한 장애라고 말하는 전문가는 없다. 마찬가지로 자폐의 완치를 확신하는 전문가도 없다.

아이를 치료하겠다고 치료실을 전전하는 동안 조금씩 피로감이 밀려왔다. 아이가 확 좋아졌다면 힘들어도 치료를 멈추지 않았을 것이다. 그러나 시간이 흐르는데도 치료 효과를 체감하지 못하면서 초조함만 쌓였다.

치료에 회의를 느끼기 시작할 즈음에 의외의 지점에서 새로운 치료법을 발견했다. 이 치료법으로 유원이의 미래는 완전히 달라질 수 있었다. 또 이 치료를 받고 난 후 몇 년 뒤 언어치료를 받았을 때 아이는 이전과는 완전히 다른 학습 태도와 학습 능력을 보여주었다.

백신, 자폐 주범으로 몰리다

1998년 2월 영국의 의학저널 《랜싯》The Lancet에 논문 하나가 발표되면서 영국이 발칵 뒤집혔다. 논문의 저자는 북런던 로얄프리병원Royal Free Hospital의 소화기학 전문의 앤드류 웨이크필드Andrew Wakefield였고, 논문 내용은 MMR 백신이 자폐의 원인일 수 있다는 가설이었다. MMR 백신은 홍역Measles, 볼거리Mumps, 풍진Rubella을 예방하기 위해 만든 혼합 백신이다. 1963년 홍역 백신, 1967년에 볼거리 백신, 1969년 풍진 백신이 각각 만들어졌고, 1971년 이 셋을 합한 혼합 백신이 만들어졌다. 혼합 백신은 주사 맞는 것을 싫어하는 유아들의 스트레스를 최소화하기 위해 고안되었다.

웨이크필드는 논문에서 자폐가 있는 아이 열두 명을 연구한 결과 여덟 명이 MMR 백신을 맞은 뒤 자폐가 발생했다고 추정했다. 논문의 파장은 컸다. 백신의 공포가 유럽과 미국 전역으로 퍼져나갔다. 백신 거부 운동이 빠르게 확산하면서 영국의 MMR 백신 접종률이 80% 수준까지 떨어졌다. 그 결과 영국의 집단면역이 무너졌고, 유럽과 미국 전역에서 홍역이 부활했다. 미국에서는 자폐 자녀를 둔 부모가 백신 제조사와 국가를 상대로 소송을 제기하는 일까지 일어났다.

웨이크필드의 주장은 2004년 2월 영국의《선데이타임즈》Sunday Times가 탐사보도를 통해 논문의 심각한 오류를 공개하면서 반전을 맞이한다. MMR 백신으로 인한 피해 소송은 1994년부터 있었는데, 웨이크필드 논문에 등장하는 연구 대상 아동의 일부가 이 소송의 당사자였다. 웨이크필드가 집단소송을 진행하는 변호사의 중재로 연구비 55,000파운드를 받았고, 연구 논문을《랜싯》에 발표하기 전에 변호사에게 먼저 보낸 사실도 드러났다.

또 MMR 백신을 불신해 향후 단독 백신을 사용할 것에 대비해 새로운 홍역 백신을 개발해 특허출원을 신청한 상태였다. 더 나아가 논문의 연구 내용 일부가 조작된 것으로 밝혀졌다. 논문의 문제점이 드러나자 《랜싯》은 2004년 웨이크필드의 논문을 부분 철회했고, 2010년 2월에는 논문을 완전히 철회했다. 논문 철회와 함께 웨이크필드의 의사면허도 박탈했다.

MMR 백신이 자폐 원인으로 지목된 배경에는 자폐의 퇴행 현상과 관련이 있다. 자폐는 출생 직후부터 서서히 증상이 나타나지만, 퇴행을 거치며 뒤늦게 증상이 나타나기도 한다. 보통 생후 18개월까지 발달에 문제가 없어 보이는 아이가 생후 18~36개월 사이에 퇴행을 겪고 나면 자폐 증상이 나타나기도 한다. 아이가 퇴행을 겪기 직전에 MMR 백신을 접종하기에(현재 한국은 12-15개월에 1차 MMR 백신 접종) 백신 접종 시기와 자폐 유아의 퇴행 시기가 겹치면서 MMR 백신이 자폐 원인으로 의심받은 것이다.

그러나 MMR 백신을 접종한 직후부터 자폐아가 증가했다는 주장은 전혀 사실이 아니다. 1970년대에 자폐 아동의 교육이 가능하다는 연구 결과가 나오면서 공교육에서 자폐 아동을 수용하기 위해 자폐의 재정의가 필요했다. 기존의 진단기준은 자폐의 범주를 너무 좁게 설정해 소수의 아동만 자폐 진단을 받았다. 자폐 딸을 키우던 영국의 정신과 의사 로나 윙Lorna Wing은 자폐에 스펙트럼 개념을 도입해 자폐의 범주를 혁신적으로 바꾸었다. 윙에 의해 도입된 '자폐스펙트럼' 개념으로 진단기준을 바꾸자 자폐의 범주가 넓어지면서 자폐 진단을 받는 발달장애인 수가 급증했다.[6]

영국에서 웨이크필드가 MMR 백신에 포함된 홍역 바이러스를 자폐 원인으로 의심했다면, 미국에서는 백신 안에 포함된 수은 성분 티메로살이 자폐 원인으로 지목되었다. 2000년 6월 미 의회에서 열린 백신 공청회에서 린 레드우드Lyn Redwood는 아들 윌Will의 자폐 원인이 백신이라고 증언했다. 그러나 윌의 자폐 증상은 MMR 백신을 맞기 전부터 나타났으므로 MMR 백신이 아닌 다른 원인이 필요했다.[7]

린 레드우드가 자폐 원인으로 지목한 것은 백신에 포함된 수은이었다. 병원에서 주사할 때 액이 들은 병 속에

바늘을 찔러넣어 주사액 1회분을 흡인한다. 이 과정에서 종종 살아있는 미생물이 주사액에 들어가 병 속 백신을 오염시키고, 오염된 백신이 환자를 감염시키는 일이 있었다. 이 같은 백신 오염을 방지하기 위해 1930년대에 티메로살이 개발되었다. 티메로살은 항균 및 항진균 효과를 나타내는 분말로 수은이 내용물의 절반을 차지했다. MMR 백신에 이어 백신에 포함된 티메로살이 자폐를 유발한다는 주장까지 제기되자, 백신 신뢰가 땅에 떨어졌다.[8]

백신을 향한 불안과 공포가 계속되자, 미국은 2000년대 초반부터 점차 어린이 백신에서 티메로살을 제거하기 시작했다. 우리나라도 2007년부터 백신에 더는 티메로살을 사용하지 않고 있다. 백신에서 티메로살을 제거했지만, 이후에도 자폐인 수는 감소하지 않았다. 티메로살이 자폐 원인이 아니라는 사실이 자연스럽게 입증된 것이다.

2019년 덴마크 국립혈청연구소는 1999~2010년 출생한 65만 7461명을 대상으로 MMR 백신과 자폐의 상관관계를 추적 조사한 연구 결과를 발표했다. 연구 결과에 의하면 MMR 백신을 접종한 사람이 접종하지 않은 사람보다 자폐에 걸릴 확률이 7% 낮았다.[9] 웨이크필드의 주장과 상반된 결과로, MMR 백신과 자폐가 연관이 없다는 사실이 객관적인 통계로도 입증되었다. 그렇지만 이 거짓 주장은 지금도 전세계를 유령처럼 떠돌고 있다.

05

ABA에서 희망을 찾다

치료실에 다니는 동안에도 나는 자폐를 이해하려는 노력을 게을리하지 않았다. 매일 도서관에 가서 자폐 관련 책을 찾아 읽었다. 나보다 앞서 비슷한 길을 걸어간 사람들의 이야기 안에 해결의 실마리가 있을 것으로 생각했다. 발달장애 커뮤니티에 올라온 추천도서 중심으로 책을 읽어나갔다. 도서관에 없는 책은 직접 구매해 읽었다. 관련 자료를 다 뒤져서라도 치료법을 알아내고야 말겠다는 생각으로 계속 읽어나갔다.

하루는 도서관에서 책을 몇 권 빌려왔는데, 도조 겐이치라는 일본인이 쓴《아이는 느려도 성장한다》라는 책이 포함되어 있었다. 자폐가 있는 딸을 둔 아버지가 딸의 치료 경험을 기록한 다소 평범한 책이었다. 이 책을 통해서 처음으로 ABA 치료법을 알게 되었다.

치료의 이정표 발견

도조 겐이치는 딸에게 자폐스펙트럼장애가 있다는 진단과 함께 아이가 평생 말을 못 할 것이라는 의사소견을 들었다. 청천벽력 같은 소식에 아버지는 잠시 낙심했으나 포기하지 않고 자폐 치료법을 찾아 나섰다. 딸의 치료를 모색하던 아버지는 우연한 계기로 ABA 치료를 알게 되었고, 전문 치료사들에게 딸을 맡겨 ABA로 치료를 받게 했다. 아버지의 헌신적인 치료로 아이의 발달기능이 개선되었으나 여전히 아이는 말을 못 했다. 치료에 지친 아버지는 아이와 함께 하와이로 여행을 떠난다. 여행 마지막 날 아버지는 딸의 손을 잡고 바닷가에서 노을을 구경하며 평화로움을 만끽한다. 그 순간 놀랍게도 아이는 처음으로 말을 했다.

　말을 못 하던 아이가 치료를 통해 말을 하게 되었다는 사실이 놀라웠다. 책을 읽고 나서 ABA 치료법이 무척 궁금했다. 유원이가 이 치료를 받으면 자폐를 극복할 수 있는지 알고 싶었다. 한편으로 ABA 치료법이 왜 한국에는 잘 알려지지 않았을까 하는 의문이 들었다. 또 ABA 치료를 어디서 어떻게 받을 수 있는지도 궁금했다.

ABA라는 단어가 온통 내 마음과 생각을 사로잡았다. ABA야말로 유원이를 위해 그동안 애타게 찾아다닌 치료법이라는 직감이 들었다. ABA 치료가 무엇이고 어떻게 치료하는지 자세히 알지 못했지만, 길을 잃고 헤매던 산속에서 이정표를 발견한 느낌이었다. ABA를 설명한 내용 중에 'ABA는 과학적으로 입증된 유일한 치료법'이라는 문구가 내게 신뢰를 주었다. 그동안 만난 치료 전문가들이 추상적인 말들만 늘어놓았기에 체계적인 데이터를 기반으로 치료를 진행한다는 것이 인상적으로 다가왔다. 이렇게 만난 ABA 치료가 유원이의 미래를 바꿔놓게 될 줄은 미처 몰랐다.

최근에는 ABA 관련 책을 서점에서 심심치 않게 볼 수 있지만, 2013년에는 ABA를 소개한 책을 발견하기 어려웠다. 인터넷에서 관련 정보를 얻기도 쉽지 않았다. 당시 서울에 있는 몇몇 기관에서 ABA로 자폐 아이를 치료한다는 소식을 들었다. 자세히 알아보니 일반 치료실과는 비교가 되지 않을 정도로 치료비가 비싸 우리 형편으로는 엄두가 안 났다. 치료를 받을 수 있다 해도 1~2시간 치료 받으려고 왕복 4~5시간을 운전하며 치료실을 오가는 것 역시 무리였다. 그때 문득 이런 생각이 들었다. '치료는 특별한 게 아니야. 아이의 부족한 부분을 채워주고 가르쳐 주는 것이 치료 아닐까? 그 정도 치료라면 나도 할 수 있지 않을까?' 그때는 몰랐지만, 나중에 ABA가 내 생각과 비슷한 원리로 만들어진 치료법임을 알고 무척 놀랐다.

ABA를 알아가던 중 부모들이 ABA를 공부하며 아이를 치료하는 커뮤니티를 알게 되었다. 부모들은 일본의 비영리단체 '쓰미키회'에서 출간한 《쓰미키북》으로 ABA를 공부하면서 자녀를 직접 치료하고 있었다. 너무나 반가운 마음에 즉시 커뮤니티에 가입하고 ABA 치료를 소개한 《쓰미키북》을 주문했다. 《쓰미키북》이 배송된 날 인근 카페에 가서 단숨에 책을 읽었다.

저자인 후지사카 류지藤坂龍司는 캐서린 모리스 Catherine Maurice의 《너의 목소리를 들려줘》Let me Hear Your Voice를 읽고 처음 ABA를 접했다. 이후 로바스Ivar Lovaas 박사의 ABA 치료법을 응용하여 자기 딸에게 음성모방 훈련을 시킨 결과 2주 만에 두 개의 음성모방을 정확히 따라 하는 놀라운 효과가 나타났다. ABA 치료 효과를 확신한 류지는 아내와 번갈아 가며 매일 딸에게 ABA 치료를 했고, 자폐 자녀를 둔 부모들에게 ABA를 알리려고 단체를 만들고 책을 저술했다.

《쓰미키북》을 통해 처음으로 ABA 원리와 함께 로바스 박사가 주장한 주 40시간 조기집중치료를 알게 되었다. ABA의 대표적인 교수 방법인 DTTDiscrete Trial Teaching, 개별 시도 교수[10]와 ABA 기초과제 및 진행방법도 알 수 있었다. 《쓰미키북》은 내가 그토록 찾던 책이었다. 책을 통해 아이 치료가 가능하다는 확신이 들면서 온몸에 전율이 흘렀다.

그 뒤 《쓰미키북》을 몇 번 더 정독한 후 쓰미키회에서 제공하는 DVD를 보면서 아이에게 ABA 치료를 시도했다. 그때부터 ABA 부모교육이 있는 곳이면 장소와 시간을 가리지 않고 찾아다녔다. ABA로 자녀를 치료하는 부모들과 정기 모임을 하며 ABA 치료기법을 공부하기도 했다. 다들 서툴렀으나 열정적으로 ABA를 배우며 서로를 격려하는 소중한 시간이었다.

책을 참고해 유원이에게 ABA 수업을 시작했지만, 생각만
큼 수업이 잘 진행되지 않았다. 우선 수업하기 위해 유원
이를 의자에 앉히기가 어려웠다. 유원이는 과제를 하는
동안 지루함을 느끼면 자리에서 일어나 돌아다니거나 침
대로 가서 벌렁 누워버리기 일쑤였다. 오반응이 반복될
때도 마찬가지였다.

강화물로 과자나 초콜릿을 준비했는데 유원이는 수업
전에 강화물을 언제 줄 것인지, 몇 개 줄 것인지 계속 협
상을 시도했다. 잠시 한눈을 파는 사이 강화물을 몰래 가
져가 먹기도 했다. 강화물 관리부터 난관에 부닥쳤지만,
이런 상황에서 어떻게 대응하는지 책으로는 알 수 없었
다. 어려움에 직면할 때마다 ABA 부모 커뮤니티에 들어
가 의견을 묻고 다른 부모들의 경험담을 통해 해결책을
모색할 수밖에 없었다.

애초부터 ABA 책 한 권과 온라인 커뮤니티에 의지해
유원이를 가르치는 것은 무리였다. 제대로 아이를 치료
하고 있는지 확신이 서지 않아 늘 마음이 불안했다. 불안
을 해소하기 위해서는 좀 더 실력을 키워야 했다. 그때부

터 ABA를 배울 수 있는 곳이라면 어디든지 달려갔다. 지방에서 열리는 3시간짜리 ABA 부모교육에 참석하기 위해 왕복 6시간 기차를 타고 다녀온 적도 있다. 온라인으로 12회에 걸쳐 진행된 ABA 워크숍을 두 달 동안 참여하기도 했다. 이런 노력에도 나는 아이를 치료할 때마다 예상치 못한 상황에 부닥쳤고, 그 상황에 어떻게 대처할지 몰라 우왕좌왕했다. 그때마다 더 깊은 배움의 장으로 나갈 수밖에 없었다.

치료 역량을 키우기 위해 BACBThe Behavior Analyst Certification Board, 국제응용행동분석전문가협회에서 부여하는 행동치료사 자격인 RBTRegistered Behavior Technician, 응용행동치료사를 위한 교육도 받았다. RBT는 ABA 치료를 할 수 있는 행동치료사를 양성하기 위해 BACB에서 개발한 응용행동치료사 자격이다. 당시 ABA를 공부하는 두 명의 엄마와 함께 매주 목요일마다 분당에서 6시간의 교육을 7주 동안 받았다. 종일 책상에 앉아 공부하고 실습하는 과정이 무척 고되고 힘들었지만, ABA 이론을 체계적으로 배울 수 있는 시간이었다.

이렇게 배움의 단계를 높여가다가 2015년 가을 특수

교육으로 잘 알려진 대구사이버대학 언어치료학과 3학년에 편입을 했다. 전공이 국어국문학이라 언어치료 공부가 어렵지는 않았다. 그렇지만 여러 가지 일을 병행하다 보니 공부도 아이 치료도 제대로 하는 게 하나도 없었다. 일단 공부보다는 아이를 치료하는 것이 우선이라고 생각해 잠시 학업을 중단하기로 했다. 자폐 치료는 조기집중치료를 해야 효과가 있다는 로바스 박사의 이론도 휴학에 적지 않은 영향을 미쳤다.

기적처럼 만난 ABA베어스

당시 ABA 부모 커뮤니티는 나의 부족한 점을 채워주는 정보의 통로였다. 다양한 지역에 사는 부모들이 공유하는 다양한 경험 덕분에 늘 유익한 정보를 얻을 수 있었다. 미국에 사는 어머니 한 분은 미국의 ABA 치료 관련 자료를 종종 커뮤니티에 올려 한국 어머니들에게 도움을 주었다. 어느 날 그분이 미국 ABA 클리닉에서 치료받는 자기 아이 영상을 부모 커뮤니티에 올렸다. 영상을 보면서 미국의 ABA 클리닉에서 어떻게 치료를 하는지 알 수 있었다.

화면 속 아이는 포근한 러그 위에 앉아 있었고 치료사가 아이와 마주 앉아 치료를 진행하고 있었다. 치료사가 지시를 내리자 아이는 지시에 따라 자기 앞에 펼쳐진 그림 카드 중 하나를 골라 치료사에게 건넸다. 그 순간 치료사는 아이를 번쩍 안아서 빙글빙글 돌리며 환호해 주었고, 칭찬받은 아이는 웃으며 즐거워했다.

영상 속 ABA 수업은 딱딱하고 경직된 나의 수업과는 완전히 다른 분위기에서 진행되고 있었다. 또 치료사가 아이와 수업한다는 느낌보다는 놀이한다는 느낌이 들었다. 아이와 치료사 간에 오가는 긍정적인 에너지가 화면을 지켜보는 내게도 그대로 전달되었다.

영상을 본 부모들은 미국에 있는 어머니에게 ABA 수업과 관련해 치료 시간과 치료 수업 구성 등 궁금한 내용을 물었다. 어머니는 자기 아이가 매일 오전 오후에 각각 2~3시간씩 수업을 받고 있으며, 한 팀에 속한 3~4명의 치료사가 돌아가며 집을 방문한다고 했다. 매주 한 번은 치료사들과 부모가 함께 모여 아이의 수업 진행 과정을 점검하고 앞으로의 치료 방향을 논의하는 팀미팅을 진행한다고 했다. 수업 내용으로는 모방훈련, 놀이기술, 자조

훈련 등 다양한 영역별 수업이 진행되고, 실내 수업뿐만 아니라 야외활동도 진행한다고 했다.

온라인 커뮤니티의 정보에 기대어 스스로 자기 아이를 가르치는 한국의 부모들은 한계를 느끼고 있었다. 반면에, 미국의 ABA 치료는 한국에서는 경험할 수 없는 치료 프로그램이었기에 알면 알수록 부러웠다. 미국에 있는 어머니가 이러한 한국의 치료 상황을 안타까워하며 도울 방법을 찾아보겠다고 했다. 그리고 아들을 치료해 주던 미국 ABA베어스 대표에게 연락해 한국 부모들을 도와주면 좋겠다는 의견을 전달했다. 비슷한 시기에 한국의 부모들도 ABA베어스에 메일을 보내 자폐 치료를 위한 도움을 요청했다. ABA베어스의 제임스 대표는 그 요청을 외면하지 않고 한국 부모들을 도울 방법을 고민하기 시작했다.

한국 부모들은 커뮤니티 안에서 의견을 모아 ABA베어스에 전달했고, ABA베어스는 내부 논의를 거쳐 한국의 부모들에게 다시 의견을 전해왔다. 그 과정에서 나는 한국 부모들과 ABA베어스 사이에서 의견을 전달하고 조율하는 역할을 했다. 2015년 2월부터 다섯 달간 논의를 진행한 끝에 ABA베어스의 치료 전문가들이 한국의 부모들에게 여덟 번에 걸쳐 온라인 상담을 해 주기로 의견을 모았다. 나를 포함해 열한 가정이 상담을 신청했고, 2015년 7월에 ABA베어스의 전문가들이 온라인으로 ABA 부모 상담을 시작했다.

이 프로그램은 유원이와 우리 가정에 큰 변화를 몰고 올 전환점이 되었다. 이렇게 맺은 인연으로 몇 년 뒤 유원이는 미국의 ABA 집중치료를 한국에서 받게 되었다. 마냥 부러워했던 미국의 ABA 집중치료를 받게 된 것은 내게 꿈 같은 일이었다.

ABA 치료의 오해

'어린이 자폐 프로젝트'라는 이름으로 진행된 로바스 박사의 연구 결과가 1987년 발표되었다. 2~3세 자폐 어린이 19명을 주당 40시간씩 2년간 ABA에 노출한 결과 47%에 해당하는 9명의 어린이가 거의 정상 수준으로 향상되었다는 연구 결과는 미국 사회에 큰 반향을 일으켰다. 《뉴욕타임즈》에 로바스 박사의 연구를 알리는 기사가 실리자 자폐 치료에 고무된 부모들의 전화가 전국에서 쇄도했다.[11]

로바스 박사의 연구는 자폐 치료의 가능성을 보여주었지만, ABA 치료가 모두에게 환영받은 것은 아니다. 장애인 단체와 인권단체들은 로바스가 사용한 혐오 치료방법을 문제 삼아 비난을 쏟아냈다. 특히, 아이 행동을 수정하기 위해 벌을 주거나 부정적 행동을 줄이려는 목적으로 혐오 자극을 사용한 것이 자폐 아이의 인권을 심각하게 훼손한다는 비난으로 이어졌다.

로바스 박사가 자폐 아이 치료에 혐오적인 방법을 사용한 것은 부인할 수 없는 사실이다. 초기에는 전기자극이나 물리적인 방법까지 동원했지만, 1987년에는 이미 처벌을 점차 줄여가는 방향으로 치료방법을 개선해 가고 있었다.[12] 이후 ABA는 수많은 시행착오를 거치며 진화를 거듭했고, 현재는 비인격적인 치료방법을 사용하지 않는다.

그렇지만 행동주의에 기반한 ABA 치료는 자폐 아동의 행동을 수정하기 위해 타협하기 어려운 부분이 있다. 이 부분이 못마땅한 사람들은 "아이를 똥개 훈련 시키듯 한다."라는 다소 원색적인 비난을 퍼부으며 ABA 치료를 폄훼하기도 한다. ABA 비판에는 "자폐인도 일반인처럼 보호받을 인권을 갖고 있으며, 단지 교육하기 어렵다는 이유로 불쾌하고 혐오스러운 체험을 강요하는 것은 잘못"이라는 주장이 자리 잡고 있다.

유튜브나 포털에서도 ABA 비판에 비슷한 논리가 등장하는 것을 심심치 않게 발견한다. ABA 치료방법이 아동학대에 가까우며, 자폐 아이의 인권을 심각하게 침해한다는 내용이 주를 이룬다. 그 근거로는 ABA 치료에 혐오적인 치료방법이 사용되고 있다는 주장이 가장 많다. ABA 치료가 폭력적이고 혐오적인 치료방법을 사용하고 있다는 주장은 사실일까?

ABA 치료가 처음 시도된 초창기 상황이라면 이런 비판은 일부 타당하지만, 지금은 시대착오적인 주장이다. 현재는 ABA 치료에 물리적인 폭력이나 혐오적인 방법을 사용하지 않는다. 벌보다는 주로 강화를 통해 아이의 행동 변화를 촉구하며, 벌을 사용하기도 하지만 철저한 계획과 근거를 기반으로 사용하고 폭력적인 요소는 포함되어 있지 않다.

예를 들면, 아이가 좋아하는 TV 시청이나 게임을 일정 시간 제한하는데, 일반 아이를 훈육할 때도 흔히 사용하는 벌이다. 스쿼트나 팔 굽혀 펴기 같은 운동을 시키기도 하는데, 아이에게 벌을 주면서 건강까지 챙기는 유익한 방법이다.

ABA 치료방법의 긍정적인 변화에도 초창기 ABA 치료 방식을 문제 삼아 인권 침해를 주장하는 것은 ABA 변화를 모르고 하는 주장이다. 2022년 학교 교육의 문제점을 비판하면서 70~80년대 학교 상황을 언급하는 것과 같다. ABA 치료에 아직도 혐오적인 방법을 사용한다면, 그것은 치료사 자질의 문제이지 ABA 치료의 문제가 아니다. 현재 ABA 치료사는 아이를 인격적으로 대하도록 충분히 훈련받고 있으며, 치료 중에는 아이의 안전을 최우선 순위에 두고 치료를 진행한다.

ABA 치료가 자폐 아이의 삶의 질을 높이는 사례가 넘치는데도, 치료 효과를 외면하며 치료를 폭력으로 규정하는 것은 매우 편향적인 태도이다. 이 정도의 치료를 폭력으로 간주하는 것은 아이에게 영구적으로 장애를 안고 살아가라는 잔인한 요구와 다름없다. 미래에 아이가 풍요로운 삶을 누리기 원한다면, ABA 치료 과정에서 겪는 작은 어려움은 충분히 감수할 만한 것이다.

06

최고의 ABA 전문가를 만다

ABA 전문가인 밥Bob 선생님을 만난 것은 나와 유원이에게 큰 행운이었다. 밥 선생님은 ABA베어스에서 치료를 총괄하는 응용행동분석가이다. 밥 선생님은 한국에서는 만나기 어려운 뛰어난 ABA 전문가로 풍부한 임상경험을 바탕으로 치료법을 탁월하게 가르쳐 주었다. 밥 선생님은 ABA베어스가 한국의 부모들을 돕기 위해 진행한 프로그램을 통해 처음 만났다.

2015년 7월 17일, 5개월의 준비 끝에 ABA베어스는 화상으로 첫 부모 상담을 진행했다. 이때 부모 상담을 진행한 사람이 바로 밥 선생님이었다. 당시 나는 ABA를 공부하며 집에서 아이를 직접 치료하고 있었다. 그러나 유원이의 과제 저항이 심했고 지시 따르기도 제대로 되지 않았다. 아이를 치료하려는 나의 의지와 욕구는 강했으나 아이가 제대로 따라오지 않아 애를 먹고 있었다.

예를 들어, 세수하러 가자고 하거나 옷을 갈아입자고 하면 아이는 무조건 "싫어!, 안해!"라고 외치며 지시를 거부했다. 그때마다 아이를 달랬지만 아이는 고집을 꺾지 않았다. 그러면 나는 견디지 못하고 "그럼 ~ 안 해 준다." 라고 협박하며 지시 따르기를 강요했다. 유원이는 가족을 포함해 어린이집 선생님, 교회 선생님 등 누구의 지시도 따르지 않고 자기 마음대로 하려고 했다. 요구가 관철되지 않으면 짜증 내고, 울고, 소리 지르는 등 문제행동의 수위가 갈수록 높아지고 있었다.

밥 선생님의 놀라운 이야기

첫 상담을 앞두고 주어진 시간을 알차게 사용하려고 유원이 영상을 미리 찍은 후 미팅 시간을 기다렸다. 미팅이 시작된 후 영상 파일을 전송하려 했으나 전송 시간이 너무 길어 중단할 수밖에 없었다. 어쩔 수 없이 아이를 카메라 화면 앞으로 데려와 평소 진행하는 ABA 과제 몇 개를 보여주었다. ABA 방법 및 진행과 관련해 피드백을 받으려고 했으나 밥 선생님의 관심은 다른 데에 있었다.

유원이를 데려오는 과정을 관찰한 밥 선생님은 아이가 화가 난 것 같다며 왜 화가 났는지 이유를 설명해 달라고 했다. 방에서 핸드폰으로 영상을 보던 아이에게 잠시 거실로 나가자고 했더니 핸드폰을 계속 보겠다고 거부한 것이다. 실랑이 끝에 마음이 급해져 강제로 아이를 데려와 과제를 진행했지만 이미 짜증 난 아이가 과제를 제대로 수행할 리가 없었다. 대충 과제 몇 개를 진행하더니 도망치듯이 다시 방으로 들어가 버렸다. 과제 진행의 전후 상황을 설명했더니 밥 선생님은 내가 기대한 것과 완전히 다른 이야기를 해 주었다.

유원이가 엄마의 지시를 따르려는 태도가 형성되어 있지 않아 과제 시작 전에 이 부분을 먼저 확립해야 한다고 했다. 즉, 아이가 엄마 말을 존중하는 법을 배우고 엄마의 작은 지시부터 듣는 연습이 필요하다고 했다. 그렇지 않으면 복잡하고 어려운 과제로 나아갈 수 없다고 했다. 밥 선생님은 지시를 따르려는 태도가 필요한 이유를 설명하면서 그것을 확립하는 과정도 자세히 가르쳐 주었다.

아이가 혼자서도 잘하는 행동을 지시한 후 수행했을

때 큰 칭찬(강화)을 해 주고, 유원이가 할 수 있는 매우 쉬운 과제를 지시한 뒤 성공했을 때에도 칭찬을 많이 해 주라고 했다. 당분간 무의식적으로 아이에게 지시를 내리지 않도록 주의하고 아이가 부모 말을 따르기 어려운 상황이라 판단하면 처음부터 지시를 내리지 말라고 했다. 반면 생활 속에서 엄마가 아이에게 어떤 말(지시)을 하면 아이가 반드시 지시를 수행하도록 해야 한다고도 했다.

그때 유원이는 여러 가지 문제행동이 있었지만 해결하기가 쉽지 않았다. 예를 들어, 아이의 말하는 능력을 향상하기 위해 이것저것 물어보면 유원이는 무조건 "싫어!, 안돼!"라고 말할 뿐 질문에 맞게 대답하는 법이 없었다. "오늘 유치원에서 점심 뭐 먹었어?"하고 물으면 "싫어!, 안돼!"라고 말하고 더 이상 아무 말도 하지 않았다. 몇 번 더 물어도 대답은 달라지지 않았고 끝내 대답을 들을 수 없었다.

또 아이가 원하는 요구를 들어주지 않으면 심하게 짜증 내며 울 때가 많았다. 우는 아이를 설득하려고 수없이 노력했지만, 결국 유원이가 원하는 것을 들어주는 것으로 상황이 종료되었다. 소파에 누워 상동 행동을 자주 했는데, 그 상황에서는 어떤 지시도 따르지 않았다. 아이와 몇 번 실랑이하다가 포기하는 경우가 다반사였다.

밥 선생님은 이 같은 유원이의 행동을 학습된 행동이라고 했다. 울고불고 떼쓰면 엄마는 결국 포기하고 아이는 자기가 원하는 대로 할 수 있기 때문이다. 그래서 아이의 잘못 학습된 행동을 바꾸기 위해 부모가 지시를 내리면 아이는 어떤 상황에서도 지시를 따르게 해야 한다고 했다. 지시 따르기가 확립된 이후에야 아이의 학습이 가능하고, 일상생활이 정상적으로 작동할 수 있다는 것이다.

밥 선생님은 지금까지 만난 의사, 치료 전문가로부터 한번도 들어보지 못한 조언을 해 주었다. 쉽고 명쾌하면서도 자폐 아이를 바라보는 관점이 완전히 다른 놀라운 내용이었다. 밥 선생님에게 ABA를 배우면 유원이에게 큰 변화가 일어날 것 같은 예감이 들었다.

아이를 바라보는 패러다임의 전환

ABA베어스가 제공하기로 한 여덟 번의 미팅을 마무리할 즈음에 서울에서 밥 선생님을 만나는 기적 같은 일이 있었다. 한국에서 진행하는 ABA 워크숍에 밥 선생님과

제임스 대표를 강사로 초대한 것이다. 이들은 세미나 전에 부모와 아이를 직접 만나 1시간씩 상담해 주었다. 밥 선생님은 잠시 유원이를 관찰하더니 문제행동만 사라지면 아이를 교육하기가 한결 쉬울 것이라고 했다. 돌이켜 보면 유원이를 정확하게 꿰뚫어 본 통찰이었다. 앞으로 유원이 치료의 무게 중심을 어디에 두어야 할지 배울 수 있는 시간이었다.

나는 밥 선생님의 조언에 따라 유원이의 커리큘럼을 바꾸었다. 이전에는 주로 언어와 인지 관련 수업을 많이 했다. 위치, 색, 모양, 크기 등을 가르치고, 숫자 세기, 통글자로 된 한글 등 기초 학업과 관련된 내용을 가르치려 했다. 그 외에도 퍼즐 맞추기, 자전거 타기 등의 놀이를 하고, 미술 활동으로 가위질과 선 긋기를 하고, 자립 활동으로는 옷 입기를 가르쳤다. 나름 다양한 영역을 골고루 배분하여 프로그램을 구성하려 했으나 가장 많은 비중을 차지한 것은 언어와 인지 영역이었다.

밥 선생님은 우선 절제력을 키우고 수업을 따를 수 있는 기초 태도를 가르치라고 했다. 그래야 다양한 기술을 빠르게 배울 수 있다고 했다. '기다리기'와 '이리 와' 프로그램의 중요성을 알고 나서 이 두 프로그램을 최우선 과제로 변경했다. 다음으로 유원이가 자기 마음대로 되지 않을 때 나타나는 다양한 문제행동을 줄이고 대체행동을 가르치기 위해 노력했다.

프로그램을 진행하면서 아이가 조금씩 바뀌었다. 단 1초도 기다리지 못해 소리 지르고 짜증 내던 아이가 5초, 10초, 30초로 점차 긴 시간을 기다리게 되었다. 아이가 문제행동을 보일 때마다 당황해 우왕좌왕하던 나도 점점 침착하고 단호하게 대처했다.

밥 선생님은 과제를 처음 시작할 때는 기초를 탄탄히 다지는 것에 중점을 두라고 했다. 아이가 열심히 노력해 과제를 잘 수행하면 바로 칭찬하고 과제에서 바로 벗어날 수 있게 해 주라고도 했다. 나는 가위질을 가르칠 때 자르는 연습을 많이 할수록 아이가 가위를 다루는 실력이 좋아진다고 생각했다. 그러나 밥 선생님의 생각은 달랐다. 아무렇게나 종이를 열 번 자르는 것보다 정확히 한 번 자르는 것이 낫다고 했다. 밥 선생님은 어떤 과제든 처음에 정확한 자세를 잡아주는 것이 중요하다고 했다. 밥 선생님의 지도를 받으며 수업의 양보다 질이 더 중요하다는 사실을 알게 되었다.

ABA 전문가로 성장하다

3개월에 걸쳐 진행된 ABA베어스의 부모 상담이 끝났다. 나는 계속 밥 선생님의 지도를 받으며 ABA로 가정치료를 진행하고 싶었다. 나뿐만 아니라 한번이라도 ABA베어스 전문가와 상담을 받은 부모들은 모두 비슷한 마음이었다. 부모들이 계속해서 부모교육을 받고 싶다며 다시 ABA베어스에 도움을 요청했다.

ABA베어스는 계속 돕겠다는 약속과 함께 체계적인 치료 시스템을 구축하기 위해 부모들이 팀을 이루어 공동으로 치료할 것을 제안했다. 엄마가 자기 아이뿐만 아니라 돌아가며 다른 아이도 치료하는 방식으로 팀을 운영하는 것이었다.

주변에서는 뜻을 같이하는 엄마들을 찾을 수 없어 팀을 만들기가 어려웠다. 어쩔 수 없이 다른 지역에 사는 엄마들과 간신히 팀을 만들었다. 우리는 파주, 일산, 남양주, 서울에 사는 네 명의 엄마가 모여 팀을 이루었다. ABA베어스가 새로운 프로그램을 준비하기 전부터 우리 팀은 서울에 있는 교회 공간 하나를 빌려 아이들을 가르치기 시작했다. 방학을 이용해 주 3회씩 진행했고, 오전에 40분씩 3교시의 수업을 만들어 아이들을 가르쳤다.

함께 모이는 날이면 아이 교구를 차에 가득 싣고 모임 장소로 달려갔다. 몸은 항상 피곤했으나 아이를 회복시킬 수 있다는 생각에 힘든 줄도 모르고 치료에 매달렸다. 나는 아이에게 좋은 치료를 해 줄 수 있다는 것이 감사했고, 언젠가 아이가 좋아질 것이라는 희망에 부풀어 있었다.

ABA베어스의 배려로 밥 선생님의 온라인 부모교육이 본격적으로 시작되었다. 우리 팀의 부모들은 서로 집을 오가며 아이들을 가르치기 위해 각각 파주와 일산으로 이사를 했다. 팀원이 중간에 바뀌기도 했지만 2년 동안 매일 서로의 집을 오가며 아이들을 가르쳤다. 공동치료를 하는 이유는 '일반화'를 위해서였다.

자폐 아이들은 교육할 때 치료자 외에 다른 사람의 말(지시)을 듣지 않는 경향이 있다. 다양한 사람의 말을 듣도록 여러 명의 치료사가 돌아가며 치료하는 것이 ABA 치료의 원칙이다. 이렇게 해서 아이가 모든 사람의 말을 듣게 하는 것을 '일반화'라고 한다. 당장 치료사가 없는 상황에서 부모들이 돌아가며 치료사 역할을 하는 팀 치료가 필요했다.

한국과 미국의 시차 때문에 밥 선생님은 부모교육을 새벽 한두 시에 진행했다. 그렇게 일주일에 두 번씩 새벽에 일어나 밥 선생님에게 ABA를 배웠다. 낮에 아이들을 가르치면서 그 과정을 영상으로 찍어 밥 선생님에게 보내면, 밥 선생님은 우리가 찍은 영상을 보면서 우리 치료를 교정하고 지도해 주었다. 미국에서 치료사를 교육하는 것과 동일한 방식이었다. 어디서 촉진을 주고, 어디서 강화를 주어야 하는지 세심하게 피드백을 주었다.

우리의 실력이 나날이 향상되면서 아이들도 함께 발전했다. 우리 엄마들이 열정적으로 배우고 가르친 결과였다. 무엇보다 ABA 전문가인 밥 선생님이 있어서 가능한 일이었다. 밥 선생님의 도움 없이 나 혼자 유원이를 치료했다면 이같은 결과를 얻지 못했을 것이다. 밥 선생님은 늘 최선을 다해 나를 포함한 한국의 부모들을 가르쳤다. 그 고마움은 영원히 잊지 못할 것이다.

음모론이 낳은 치료법들

심리학자 버나드 림랜드Bernard Rimland는 자폐 아들 때문에 자폐 연구에 뛰어들어 수많은 성과를 이뤄낸 상징적인 인물이다. 림랜드는 자폐를 연구하며 아들의 치료에도 최선을 다해 상당한 치료 성과를 거두었다. 그러나 시간이 흘러도 기대 만큼 아들이 좋아지지 않자 기존 치료를 포기하고 의학적 근거가 현저히 부족한 생의학 치료로 전환했다. 그가 선택한 치료법은 자폐 아동에게 비타민을 대량으로 투여하는 것이었다.

림랜드가 생의학 치료를 받아들인 데에는 비타민을 대량 투여한 자폐 아이들의 행동에 큰 변화가 있었다고 주장하는 자폐 부모들의 영향이 컸다. 처음에 부모들의 주장에 회의적이던 림랜드 역시 점차 부모들의 주장에 동조해 제대로 된 임상시험도 거치지 않고 비타민 투여가 자폐 치료에 효과가 있다는 결론을 도출했다. 대조군이 부재한 그의 임상시험 결과는 정상적인 절차를 거치지 않았다는 비판에 직면하며 주류 과학계로부터 철저히 외면당했다.[13] 자폐 연구의 새로운 장을 열었다고 평가받은 《유아자폐증》의 출간으로 대중의 지지를 한몸에 받았던 림랜드의 안타까운 추락이었다.

그러나 주류 과학계의 비판에도 생의학 치료는 사그라지지 않고 시간이 흐를수록 다양한 형태로 진화를 거듭했다. 특히, 자폐 원인으로 MMR 백신을 의심했던 영국의사 웨이크필드의 등장으로 생의학 치료는 새로운 국면을 맞이했다. 웨이크필드는 미국의 질병통제예방센터CDC가 이런 사실을 알면서도 은폐했다며 음모론을 주장하기도 했다. 자폐의 원인이 MMR 백신, 더 나아가 백신에 포함된 수은 성분 티메로살이라는 의혹이 커지면서 자폐 원인을 유전자나 뇌신경의 문제보다는 내과적 문제로 간주하는 경향이 생겼다. 자폐 원인을 내과적 문제로 접근할 경우 자폐 치료법 역시 완전히 달라질 수밖에 없었다. 최근에는 환경 오염에 따른 독성물질의 신체 유입이 자폐 원인이라는 확인되지 않은 사실까지 더해지면서 온갖 치료법이 난무하고 있다.

미국 마이애미에서 소아과를 운영하는 의사 줄리 버클리Julie A. Buckley 역시 자폐가 뇌나 유전자의 문제가 아닌 내과적 문제라고 주장한 대표적인 인물이다. 버클리는 장내의 유해균을 제거하는 자폐 치료 프로그램으로 자폐 부모들의 호기심을 자극했다. 버클리의 저서 《자폐증의 해독치료》Healing Our Autistic Children가 국내에 소개되면서 그녀의 자폐 치료법은 우리나라에서도 많은 관심을 받았다. 버클리는 자폐가 있는 딸을 위해 직접 치료 프로그램을 개발해 치료에 성공했다고 주장하기도 했다.

그녀의 치료법은 프로바이오틱스 섭취와 식단 개선, 그리고 고압산소요법을 병행하는 방식이다. 세 가지 모두 장내 유해균을 제거하는 데 목적이 있다. 프로바이오틱스는 장내 유익균을 증가시켜 유해균을 억제하는 효과가 있어 섭취하도록 한다. 장벽을 통해 흡수될 가능성이 있는 펩타이드 같은 이질적 단백질을 줄이기 위해 카세인과 글루텐이 포함된 음식을 금하는 GFCFGluten-Free, Casein-Free 식이요법을 권한다. 장내에서 질병을 유발하는 클로스트리듐을 억제하기 위해 당 섭취도 피하도록 한다.[14]

고압산소요법 역시 장내에 산소를 증가시켜 유해균을 억제하는 유효한 방법으로 소개한다. 몸이 스스로 성장하고, 방어하고, 재생하기 위해 필요한 산소를 공급해 치료의 효율성을 높인다고 믿기 때문이다. 고압산소요법을 통해 자폐증 증상의 감소와 언어, 사회성, 인지 영역에서 주목할 만한 성장이 나타났다고 주장한다.[15]

킬레이션 요법Chelation Therapy도 중요한 자폐 치료법으로 소개한다. 킬레이션은 게나 가재의 집게발을 의미하는 그리스어 킬레chele에서 유래했다. 킬레이션 요법은 게나 가재가 집게발로 잡듯이 중금속같이 인체에 해로운 물질을 집어내 체외로 배출시키는 요법이다. 주로 독성 금속 중독 치료에 사용된 요법이었지만, 자폐 원인으로 수은 원료의 티메로살이 지목되면서 자폐 치료에도 도입

되었다.

수은 중독 시 언어 능력이 저하되거나 상실되고, 사회
성 결여나 사회적 위축을 가져오기 때문에 독성물질을
체외로 배출해야 자폐 회복이 가능하다는 주장에 근거한
치료법이다.[16] 그러나 독성을 가진 중금속이 자폐 원인이
라는 뚜렷한 증거가 없는 상황에서 킬레이션 요법이 자
폐 치료에 적합하다는 주장은 설득력이 떨어진다.

무엇보다 버클리의 생의학적 치료는 치명적인 약점을
안고 있다. 장腸 문제를 경험한 자폐 아이의 경우 독성물
질에 의한 자폐 가능성을 주장할 수 있지만, 장 문제를 겪
지 않은 자폐 유아의 경우 자폐를 내과적 문제로 볼 근거
가 약하다. 버클리는 장 문제를 동반한 학령기 아동의 사
례를 주로 다루지만, 대부분의 자폐 아동은 돌 이전부터
자폐 증상을 보인다. 독성물질을 흡입할 기회 자체가 없
는데도 자폐의 원인을 독성물질로 단정하고 그에 따른
치료법까지 제시하는 것은 섣부른 태도가 아닐 수 없다.
해독 치료법은 한국에도 소개되어 자폐 커뮤니티에서 자

주 언급되지만, 치료 효과가 있다는 경험담은 찾기 어렵다. 자폐인 수가 증가하면서 자폐 치료법에도 점차 관심이 증가하고 있다. 검증된 치료법도 자리를 잡아가고 있지만, 부모의 절박한 마음을 이용해 돈을 벌려는 상술에 가까운 치료법도 곳곳에 도사린다. 자폐 원인을 특정해 임의로 치료법을 제시하는 주장은 경계할 필요가 있다. 짧은 기간 안에 자폐에서 회복될 수 있다고 홍보하는 광고는 특별한 주의가 필요하다.

자폐 원인이 정확히 밝혀지지 않았는데, 자폐 원인을 임의로 제시하며 치료할 수 있다고 주장하는 것은 완전히 모순이다. 오죽하면 "세계의 석학들이 수십 년을 연구해도 해내지 못한 일을 대한민국의 치료실에서 해냈으니, 그들에게 노벨상을 주자."는 조롱까지 나오겠는가!

아이의 회복을 바라는 부모의 절박한 심정은 충분히 이해하지만, 검증되지 않은 치료법에 아이를 임의로 맡기는 것은 위험한 시도이다. 거짓 정보를 걸러내지 못하면 의도치 않게 자녀의 미래를 망칠 수 있다. 치료 정보가 부족하다면 오랜 검증을 거쳐 전문가들도 인정하는 안전하고 믿을 수 있는 치료를 선택해야 한다. 로바스 박사는 자폐 원인을 몰라도 행동 중재를 통해 자폐 아이의 회복이 가능하다고 보았다. 자폐 원인을 모르는 상황에서 자폐 아이의 회복을 위한 가장 실질적인 접근이었다.

07

엄마가 하는 ABA 치료

ABA 치료를 처음 접한 순간부터 유원이에게 가장 적합한 치료법이라는 확신이 들었다. 그러나 우리 가정은 아이를 ABA 치료실에 보낼 형편이 안 되었다. 부모가 직접 치료하는 것 외에 다른 방법이 없었다. 처음 ABA 치료를 시작할 때는 좌충우돌하며 많은 시행착오를 겪어야 했다. 치료가 능숙해진 것은 ABA베어스를 통해 부모교육을 받으면서다.

부모교육을 받기 전까지만 해도 ABA를 이론적으로 알았지만, 실제 치료에 적용하지는 못했다. 물론 내가 알고 있는 이론도 초보적인 수준에 지나지 않았다. 밥 선생님의 부모교육을 받으며 비로소 ABA로 어떻게 아이를 치료해야 하는지 알게 되었다. 부모가 직접 치료하는 것이 쉬운 일은 아니었지만, 밥 선생님의 지도를 받으며 전문적인 치료사 수준으로 성장할 수 있었다. ABA를 배우고 직접 치료하면서 치료 효과도 더 확신하게 되었다. 본격적으로 ABA 치료를 시작한 것은 유원이가 유치원에 다니던 다섯 살 무렵이었다.

주간 프로그램을 짜다

유원이는 병설 유치원을 다녔다. 일반 아이들은 점심을 먹고 방과후 활동을 했지만, 도움반 아이들은 점심을 먹고 바로 하원을 했다. 하원 후 일주일에 두 번은 언어 치료실에 다녔다. 언어치료 수업이 없는 날은 산책과 운동을 겸해 종종 유치원에서 집까지 걸어왔다. 차로 10분 거리지만 유원이 걸음으로는 30분 정도 걸렸다.

집으로 돌아오는 길에는 놀이터와 공원이 있었고, 작은 언덕과 인공폭포도 있었다. 자연을 배경 삼아 사진을 찍어주고, 들에 있는 풀과 꽃 이름도 알려주며 놀이하듯이 집에 돌아왔다. ABA 치료를 시작한 후부터는 일상의 모든 활동에 의미를 부여했다.

집으로 돌아와 매일 2~3시간씩 ABA를 했다. 일주일에 3일은 ABA베어스에서 컨설팅을 받는 두 가정과 함께 ABA를 했다. 주기적으로 세 집을 돌며 ABA를 진행했다. 나머지 3일은 각자 집에서 치료했다. 토요일에는 집 밖으로 나가 야외활동을 하며 ABA를 했다. 이렇게 6일간 ABA를 하고 일요일은 쉬었다. ABA를 지속하기 위해서는 하루의 쉼이 필요했다.

매일 꾸준히 ABA를 할 수 있도록 힘을 북돋아 준 것은 밥 선생님이었다. 주중에 두 번씩 밥 선생님을 만나 ABA를 배우고 나면 치료의 열정이 솟구쳤다. 시차 때문에 화상 교육은 주로 새벽에 이루어졌다. 보통 새벽 한두 시에 만나 교육을 받았고, 밥 선생님의 일정 때문에 새벽 네다섯 시에 일어나 교육을 받기도 했다. 온라인 교육인데도 밥 선생님은 우리를 미국 치료사들과 똑같은 수준으로 교육했다.

가장 처음 배운 것은 데이터를 기록하는 법이었다. 밥 선생님은 데이터 기록을 왜 해야 하고, 무엇을 기록해야 하는지, 그리고 어떻게 기록하는지 자세히 알려주었다. 강화와 벌, 행동의 기능, 촉진, DTT, NCT 등 다양한 ABA 이론도 가르쳐 주었다. 미국 ABA베어스에서 신입 치료사를 훈련할 때 가르치는 내용을 그대로 우리에게 전수해 주었다. 흥분하지 않고 감정을 조절하는 호흡법을 배울 때는 자리에서 일어나 실제로 숨쉬기를 연습했다. 모두가 잠든 새벽에 컴퓨터 앞에서 숨쉬기 연습을 하던 장면을 떠올리면 지금도 웃음이 난다.

밥 선생님에게 ABA를 배우는 동안 미숙했던 치료가 조금씩 체계를 잡아가기 시작했다. 가장 먼저 시도한 프로그램은 아이가 좋아하는 것을 찾는 것이었다. 자폐 아이들은 일반 아이들보다 좋아하는 것이 적다. 따라서 새로운 자극에 노출하고 아이가 좋아할 만한 것을 찾는 작업이 매우 중요하다. 아이가 좋아하고 즐기는 것이 늘어나면 그것을 다시 아이의 동기를 높이는 자극으로 사용할 수 있기 때문이다. 밥 선생님은 아이들이 좋아하는 것을 많이 만들어 주라고 했다. 좋아하는 것을 찾는 프로그램을 '강화샘플링'이라고 부른다. 강화샘플링은 눈 맞춤을 증가시키는 목적으로도 사용한다. 강화샘플링은 가장 기본적인 프로그램이면서도 매우 중요한 프로그램이다. 유원이는 최근까지도 치료사들과 강화샘플링을 하면서 눈 맞춤 연습을 했다.

밥 선생님은 배움의 기초가 되는 모방과 지시 따르기, 자기 절제력 키우기, 의사소통과 놀이기술 등을 먼저 가르치도록 했다. 유원이는 이 모든 것을 처음부터 하나씩 다시 시작했다. 비언어 의사소통인 포인팅을 가르치고 원하는 것을 기다릴 줄 아는 힘을 길렀다. 포인팅은 손을 뻗을 수 있는 거리에 있는 사물부터 멀리 있는 사물까지 다양한 거리의 물건을 가리키는 법을 가르쳤다. 집안에서 포인팅을 잘하면 밖에 나가 원하는 사물을 손가락으로 가리키도록 했다.

'기다리기'는 1초부터 시작해서 점점 시간을 늘려 최대 15분까지 연습을 했다. 아이가 기다리는 시간이 2분이 넘어가면 아이가 좋아하는 장난감 등을 가지고 놀면서 기다리도록 했다. 집 안에서 좋아하는 것을 앞에 두고도 잘 기다리게 되자 집 밖으로 나가 기다리기 연습을 했다. 놀이기구를 탈 때 줄 서서 기다리는 연습을 했고, 외식할 때면 음식점에서도 기다리는 연습을 했다.

아이와 함께 테마파크에 놀러 갈 때마다 아이의 변화가 느껴졌다. 처음 갔을 때 유원이는 줄을 서서 기다리는 것을 무시하고 무조건 앞으로 달려가 놀이기구를 타려고 했다. 도우미가 제지하며 막아섰지만, 아이는 막무가내였다. 옆에서 지켜보던 우리 부부도 아이를 말리느라 진땀을 뺐다. 가는 곳마다 비슷한 상황이 반복되면서 아이는 아무 곳에서도 환영받지 못하는 미운 오리 새끼가 되었다.

두 번째 방문했을 때 유원이는 "기다려!"라는 부모 말에 줄을 서서 기다렸고, 놀이기구를 타려면 줄을 서야 한다는 것을 점차 자연스럽게 받아들였다. 아이의 언어 수준이 높아지면서 아이의 변화에 맞춰 지시어도 바꾸었다. 유원이에게 "줄이 길어서 조금 기다려야 할 것 같아. 우리 기다려볼까?" 이렇게 제안해도 유원이는 잘 기다렸다. 이제는 놀이동산에서 1시간 넘게 기다렸다가 놀이기구를 타는 놀라운 인내력(?)을 발휘한다.

지시 따르기를 가르치기 위해 '이리 와' 프로그램도 진행했다. '이리 와' 프로그램은 ABA베이스에서 처음 접한 프로그램이었다. 이 프로그램의 구조는 쉽고 단순하다. 아이가 앉을 수 있는 의자 두 개만 있으면 된다. 의자 두 개를 가까운 거리에 놓고 아이를 이쪽 의자에서 저쪽 의자로 앉게 한다. 나는 유원이가 앉아 있는 반대편에서 "이리 와!" 하고 불렀다. 처음에 유원이는 아무 반응도 하지 않았다. 나는 개입을 통해 유원이가 과제를 수행하도록 했고, 과제를 수행하면 바로 강화해 주며 과제를 끝냈다.

아이가 '이리 와'에 적극적으로 반응하면 의자의 거리를 더 늘려나갔다. 다음으로 다른 방에 있던 아이에게 "이리 와!"라고 지시를 내려 내가 있는 방으로 오도록 했다. 이 과제를 성공한 다음에는 밖에 나가 연습했다. 밖에서도 처음에는 짧은 거리에서 오도록 했고 점차 거리를 늘려나갔다.

전에는 유원이에게 "이리 와!"라고 말하면 들은 척도 하지 않았다. 그런 아이가 "이리 와!"라는 지시에 반응했을 때 너무 감격스러웠다. 프로그램에서 아이가 처음으로 성공했을 때는 할 수 있는 최고의 칭찬과 격려를 해 주었다. 유원이가 칭찬을 받으면 다른 프로그램도 더 열심히 참여하려는 의욕을 보였기 때문이다.

동작 모방은 여러 가지 큰 동작을 따라 하는 것으로 시작했다. 처음에는 아이와 마주 보고 서서 동작을 따라 하도록 했다. 동작은 세밀한 부분까지 정확하게 따라 하도록 했다. 마주 보는 자세에서 동작 모방을 잘 따라 하면

옆이나 대각선으로 위치를 바꿔가며 동작을 따라 하도록 했다. 대근육 동작 모방을 잘하면 소근육을 쓰는 모방도 다양하게 가르쳤다. 손가락으로 숫자를 표현하고, 여러 가지 손가락 모양을 따라 하는 연습을 통해 미세한 조정력을 키워나갔다. 유원이는 유독 소근육을 정교하게 사용하는 것을 어려워했다. 소근육 모방은 ABA 치료를 시작한 후로 3년 동안 꾸준히 연습했다.

매칭을 가르친 다음에 놀이기술로 메모리 게임도 가르쳤다. 두 개의 그림이 같을 때는 그 카드를 얻게 되지만, 그림이 다르면 다시 제자리에 엎어 놓아야 한다. 순서를 지키며 서로 번갈아 가며 카드를 뒤집는 규칙도 가르쳤다. 획득한 카드가 더 많은 사람이 게임의 승자가 된다. 메모리 게임 규칙을 가르친 뒤에는 실제 게임을 해 봤다. 게임은 어렵지 않게 진행되었지만, 게임 결과 때문에 아이의 문제행동이 나타났다.

유원이는 게임에서 지는 것을 유난히 싫어했다. 게임에서 지면 카드를 던지고 울고불고 난리를 피웠다. 게임에서 졌다고 성질을 부리면 게임을 하는 의미가 퇴색된다. 게임에서 져도 패배를 인정하고 계속해서 놀이를 즐길 수 있어야 한다. 게임이 즐거운 놀이가 되도록 게임에서 져도 감정을 다스리며 패배를 인정하는 법을 가르쳤다.

아이가 한바탕 난리를 치면 부모 감정도 상할 수밖에 없지만, 아무렇지도 않은 듯 침착함과 평정심을 유지한 채 아이가 잠잠해지기를 기다렸다. 부모가 아이의 반응에 휘둘려서는 안 되기 때문이다. 울음이 잦아지고 흥분이 가라앉으면 아이가 엉망으로 만든 카드들을 정리하게 했다. 그리고 처음부터 다시 게임을 시작했다. 문제행동을 중재하고 좋은 습관과 태도를 가르치는 것은 부모와 아이 모두에게 힘든 일이었다. 그러나 유원이의 게임 실력이 향상되고, 게임과 관련된 문제행동도 서서히 사라지면서 게임이 한층 즐거워졌다.

자기 절제력을 키우기 위해 호흡법도 가르쳤다. 아이가 감정을 통제하지 못할 때 숨을 크게 들이쉬고 내쉬면 흥분된 감정을 가라앉힐 수 있다. 숨쉬기는 치료사들과 함께 지금까지도 배우고 있다. 아이의 위생을 위해 손 씻기도 기본적인 동작부터 철저히 가르쳤다. 외출하고 돌아오면 반드시 손을 씻도록 했다. 오랜 기간 꾸준히 연습한 덕분에 손 씻기는 가장 잘 유지하는 습관이 되었다. 손 씻기를 강조하는 코로나19 상황에서 큰 도움이 되었다.

꾸준한 치료로 아이가 성장하다

돌이켜보니 매일매일 아이에게 많은 것을 가르쳤다. 유원이는 간단한 음성 지시부터 복잡한 음성 지시에 반응하는 법을 배웠다. 장난감을 제 기능에 맞게 노는 법과 퍼즐 맞추기를 배우고, 블록 놀이도 오랜 기간 배웠다. 미로 찾기와 숨은그림찾기를 했고, 가위바위보 놀이도 가르쳤다. 야외활동으로는 킥보드 타기, 자전거 타기, 줄넘기를 배우고, 공놀이를 가르치기 위해 공 던지기도 연습했다.

학업 능력을 키우기 위해 연필잡기, 색칠하기, 가위질하고 풀칠하기 등을 연습했다. 수많은 단어를 노출하고, 그 단어들을 매칭하고 분류하여 카테고리를 짓는 연습도 했다. 그 외에도 2년 동안 일상생활에서 정말 많은 것을 가르쳤다. 가정에서 부모가 직접 치료를 진행했기 때문에 짧은 시간 동안 많은 과제를 수행할 수 있었다. 치료센터에만 의존했다면 이렇게 다양한 내용을 가르칠 수 없었을 것이다.

밥 선생님은 ABA 치료를 하는 부모들에게 잘 정돈된

계획, 계획을 실천하려는 열정, 그리고 일관성 있는 치료를 강조했다. 부모가 주변 상황에 휘둘리지 않고 아이를 꾸준히 치료하는 것은 무척 어려운 일이다. 무엇보다 치료에 대한 강한 의지가 없다면 치료를 지속하기 어렵다. 치료를 오래 하다 보니 밥 선생님이 강조한 치료의 조건들이 얼마나 중요한지 날마다 깨닫는다. 부모는 치료를 통해 아이가 자기의 틀을 깨고 더 큰 세계를 향해 나아가도록 도와야 한다. ABA 치료로 아이가 점점 자기 세계를 확장해 나간다면, 부모는 그것만으로도 충분한 위로와 보상을 얻게 될 것이다.

대중매체가 보여주는 자폐인 1

1988년 개봉해 큰 반향을 불러일으킨 영화 〈레인 맨〉Rain Man은 자폐를 대중적으로 알리는 기폭제가 되었다. 미국인 상당수는 당대 최고 배우였던 더스틴 호프만과 톰 크루즈가 열연한 〈레인 맨〉을 보고 나서야 자폐의 존재를 알았다. 〈레인 맨〉에서 더스틴 호프만은 자폐성 장애인 레이몬드 배빗 역을 맡아 열연을 펼쳤다. 영화에서 더스틴 호프만이 연기한 레이몬드 배빗은 킴 피크Kim Peek라는 실존 인물을 모델로 만들어진 배역이다.

유아 시절부터 킴 피크는 놀라운 기억력을 발휘한 것으로 유명하다. 말을 제대로 하기 전부터 아버지가 읽어준 책 내용의 대부분을 기억했고, 읽은 내용을 그대로 재현할 정도로 천재성을 보였다. 그는 한 시간 동안 읽은 책의 98%를 기억했고, 당장 머릿속에서 불러낼 수 있는 책의 양이 무려 12,000권에 달했다. 국내 한 방송사 PD가 인터뷰 도중 미국 전역의 우편번호를 무작위로 물었는데, 그는 단 하나의 숫자도 틀리지 않고 정확히 답했다. 한국사 책을 읽은 적이 있다는 킴 피크의 말을 듣고 PD가 굵직한 사건이 일어난 연도를 물었다. 이번에도 그는 주저하지 않고 정확한 연도를 말하는 신기한 능력을 보여주었다.

킴 피크처럼 특정 분야에서 천재성을 발휘하는 자폐를 '서번트 증후군'savant syndrome이라 부른다. 영화 〈레인맨〉은 대중에게 자폐성 장애를 알리는 공헌을 했지만, 이후 대다수의 미국인이 자폐스펙트럼장애를 천재성과 연결 짓는 계기가 되었다. 이런 경향은 미국뿐만 아니라 국내에서도 비슷하게 전개되었다.

사회적 약자를 향한 관심이 커지면서 국내의 대중매체에도 발달장애인이 등장하기 시작했다. 특히, 영화나 드라마에 발달장애인의 등장이 눈에 띄게 증가하고 있다. 그러나 등장인물의 대부분은 특정 영역에서 비범한 능력을 보여주는 고기능 자폐인이다. 〈호로비츠를 위하여〉(2006), 〈찬란한 유산〉(2009), 〈굿 닥터〉(2013), 〈스플 릿〉(2016), 〈그것만이 내 세상〉(2018), 〈비밀과 거짓말〉 (2019), 〈증인〉(2019), 〈사이코지만 괜찮아〉(2020), 〈무 브 투 헤븐〉(2021)에 이르기까지 드라마나 영화에는 한 결같이 고기능 자폐인만 등장한다.

대중매체가 가장 선호하는 발달장애인은 서번트 증후 군인데, 이는 천재성을 가진 등장인물이 극의 몰입감을 높여주기 때문이다. 이처럼 대중매체에 빈번하게 등장하 는 서번트 증후군이 실제로는 얼마나 될까? 서번트 증후 군은 전체 자폐인 중 0.5%(2000명 1명)에 불과하다.

최근에 서번트 증후군보다 더 자주 등장하는 자폐 유 형은 아스퍼거 증후군이다. 아스퍼거 증후군은 이 유형 의 자폐를 처음 알린 독일의 소아과 의사 한스 아스퍼거 Hans Asperger의 이름에서 유래했다. 《정신장애 진단 및 통 계 편람 5판》DSM-5에서는 아스퍼거 증후군을 없애고 '자 폐스펙트럼장애'로 명칭을 단일화했지만, 아직도 자주 사 용되는 명칭이다.

전체 자폐인 중 10% 정도로 추정되는 아스퍼거 증후군은 지적 수준이 일반인보다 높거나 비슷해 뛰어난 학습 능력을 보인다. 특정 분야에서 뛰어난 재능을 보이는 경우가 많아 영화나 드라마의 등장인물로 자주 활용된다. 영화나 드라마에서 아스퍼거 증후군을 등장시키는 것은 약한 듯하면서도 비범한 능력의 고기능 자폐인이 강한 임팩트를 불러오기 때문이다.

　이처럼 영화나 드라마에 자폐성 장애인을 등장시켜 사회적 환기를 일으키는 것은 환영할만한 일이다. 그러나 대중매체에 서번트 증후군이나 아스퍼거 증후군 같은 고기능 자폐인만 등장하므로 사람들이 자폐를 제한적으로 이해하는 문제가 발생하고 있다.

08

ABA로 운동에 눈을 뜨다

자폐 아이들은 인지능력과 사회성이 부족할 뿐만 아니라 대·소근육도 약한 편이다. 유원이는 유독 대·소근육이 약했다. 또래 아이들에 비해 운동 기능이 상당히 떨어졌다. 보통 유아들은 돌 전후로 걷는데 유원이는 18개월이 되어서야 걷기 시작했다. 걸을 때도 다리 힘이 약한지 자주 넘어지곤 했다. 일반 아이들은 걸은 지 얼마 안 되어 뛰기 시작했지만, 유원이는 네 살이 될 때까지 뛸 기미조차 보이지 않았다.

처음에는 운동신경이 둔한 줄 알고 저녁마다 공원에 데려가 운동을 시켰다. 아이가 제자리 뛰기 같은 간단한 동작만 따라 했어도 별로 걱정하지 않았을 것이다. 뛰는 동작을 가르치려고 아무리 노력해도 아이는 단 한번도 뛰지 않았다. 유원이에게 자폐가 있다는 사실을 알고 나서야 아이의 운동 기능이 뒤처진 이유를 알게 되었다.

운동의 재발견

처음 운동을 시키게 된 계기는 발달장애 커뮤니티에 올라온 게시글 때문이었다. 자폐 관련 자료를 찾다가 자폐 아이에게 등산이 도움이 된다는 글을 우연히 보게 되었다. 등산이 여러 가지 감각을 느끼게 하고 각성도 조절해 주어서 자폐 아이에게 유용한 운동이라는 내용이었다.

그 글을 읽고 남편은 네 살 무렵에 유원이를 데리고 산을 오르기 시작했다. 처음에는 동네의 낮은 산을 오르다 아이가 자라자 조금씩 높은 산에 도전했다. 평지를 걷는 것도 힘든 아이가 울퉁불퉁한 산길을 오르는 것이 쉬울 리가 없었다. 한번은 산에서 내려오다 넘어져 입술이 심하게 찢어지는 바람에 한동안 등산을 할 엄두를 내지 못했다.

자폐 자녀를 키우는 부모들은 대체로 비슷한 경험이 있다. 자폐 아들을 키우는 부부가 출현한 다큐 프로그램을 본 적이 있다. 방송에서 아버지는 아들과 함께 등산 다닌 이야기를 들려주었다. 등산이 좋다는 이야기를 듣고 아버지는 수년간 주말마다 아들을 데리고 등산을 다녔다고 한다. 6~7세의 어린 아들을 데리고 험한 산을 오르다 보니 아이를 학대한다고 비난하는 사람도 있었다고 한다.

아이에게 도움이 된다면 부모는 무엇이든 하려고 한다. 우리 부부도 아이에게 도움이 된다면 무엇이든 해 주고 싶었다. 그러나 ABA를 알게 된 후에는 생각이 바뀌었다. 특정 운동이 자폐 아이에게 좋다는 말을 부모들은 전체적인 발달기능의 회복으로 오해한다. 특정 운동을 열심히 하면 연관된 운동 기능은 발달하겠지만, 아이의 인지나 언어 능력까지 향상되는 것은 아니다.

오히려 한 가지 운동에 너무 몰입하면 많은 것을 배울 기회를 놓치게 된다. 운동을 통해 아이의 부족한 점을 메우고 아이의 외연을 확대하는 것이 더 중요하다. 운동은 활발한 외부활동을 통해 폐쇄적인 아이의 활동 영역을 확장하는 데 도움이 된다. 또 자폐 아이는 운동을 매개로 다른 아이들과 교류하며 사회성을 키울 수도 있다.

우리 부부도 처음에는 아이의 대·소근육을 키우고 전반적인 운동 기능을 향상하기 위해 운동을 가르쳤다. 일주일에 한 번씩 운동재활치료 센터에 다니며 운동을 시켰다. 유원이는 운동재활치료 센터에 다니는 것을 좋아했지만 운동 기능이 눈에 띄게 향상되지는 않았다. 또 센터에서 운동하는 시간에 비해 센터를 오가는 시간이 더 걸려 효율성이 떨어졌다. 그즈음 ABA를 알게 되었고, 집에서 ABA 치료를 하면서 점차 외부 치료를 줄여나갔다. 운동도 치료실보다 점차 집에서 ABA 방식으로 가르치기 시작했다.

자전거와 줄넘기 가르치기

유원이에게 운동을 가르치는 일은 주로 남편이 했다. 집에서 가장 먼저 가르친 것은 킥보드였다. 다섯 살에 안전한 세 발 킥보드를 사 주었는데, 아이가 무척 좋아했다.

그런데 킥보드를 타면서 인도의 경계석을 인지하지 못해 부닥쳐 넘어지곤 했다. 태울 때마다 사고가 일어날 거 같아 불안했는데, 우려가 현실이 되었다. 하루는 킥보드를 타고 나갔다가 또다시 인도의 경계석에 부닥쳐 넘어지는 바람에 입안이 찢어지는 큰 사고를 당했다. 자폐 아이에게는 쉬운 게 하나도 없다는 탄식이 절로 나왔다.

1년 정도 지나서 다시 킥보드를 타게 했더니 훨씬 안정적인 모습을 보여주었다. 일곱 살에는 두 발 킥보드 타는 연습을 시켰더니 오래지 않아 능숙하게 타게 되었다. 그때부터는 외출할 때마다 킥보드를 가지고 다녔다. 여행 갈 때도 킥보드를 가지고 갈 정도로 친근한 동반자가 되었다. 두 발 킥보드는 중심을 잡아야 탈 수 있어서 자전거와 인라인을 배울 때 많은 도움이 되었다.

유원이가 본격적으로 배우기 시작한 운동은 자전거 타기였다. 자전거 배우기는 시작 단계부터 어려웠다. 자폐 아이들을 자전거에 태우고 페달을 밟게 하면 아이들의 반응이 모두 똑같다. 아이들은 하나같이 페달을 뒤로 돌린다. 페달을 앞으로 돌리면 힘이 들지만, 뒤로 돌리면 쉽게 돌아가기 때문에 아이들은 무조건 뒤로 돌린다. 그래서 페달을 앞으로 돌리는 가장 초보적인 기술부터 가르쳐야 한다. 남편도 모든 동작을 세분화해서 하나씩 가르친 후 종합적으로 수행하도록 했다.

유원이는 다섯 살 때 처음으로 네 발 자전거를 탔다. 보조 바퀴가 달린 자전거라서 넘어질 염려는 없었지만, 아이는 페달을 구르려는 의지가 전혀 없었다. 자전거 페달을 구르도록 아무리 유도해도 아이는 자전거 바퀴를 돌리려 하지 않았다. 조금 기다렸다가 6살이 되었을 때 다시 자전거 타기에 도전했다. 이번에는 자전거 페달을 구르는 데는 성공했지만, 페달을 구르면서 핸들을 조절하는 수준에는 도달하지 못했다. 보조 바퀴 없이 자전거를 타는 것 역시 아직 생각도 할 수 없었다.

일곱 살이 되었을 때는 핸들을 웬만큼 조절할 수 있어서 보조 바퀴를 떼고 두 발 자전거 타기에 도전했다. 그동안 틈틈이 페달 밟는 연습을 해 왔기에 이제는 중심 잡는 연습이 중요했다. 2~3주 정도 중심 잡는 연습을 집중적으로 시켰다. 중심을 잡고 앞으로 나갈 듯하다가 멈추는 동작이 반복되었다. 포기하지 않고 계속 연습시키자, 마침내 유원이는 중심을 잡고 페달을 구르며 앞으로 나아가기 시작했다. 혼자 페달을 밟으며 앞으로 20M를 달렸을 때는 나도 모르게 환호성을 질렀다. 자전거 타기에 성공하면서 점차 주행 거리를 늘려나갔다. 20M, 30M 점차 주행 거리를 늘리다가 나중에는 100M 이상 달릴 수 있게 되었다.

그러나 만족하기에는 아직 일렀다. 자전거를 타기 위

해서는 더 많은 기능을 익혀야 했다. 내리막길과 오르막길을 달릴 수 있어야 하고, 안전을 위해 브레이크도 작동할 수 있어야 했다. 자전거를 타면서 브레이크 잡는 법을 가르치는 것이 가장 어려웠다. 위기의 순간에 브레이크를 잡아야 한다는 개념을 아이는 전혀 이해하지 못했다. 우선 그걸 이해시키는 과정이 필요했고, 이해한 다음에는 브레이크를 잡기 위한 연습이 필요했다. 브레이크를 능숙하게 다루지 못하면 일반 도로에서 자전거를 타는 것은 불가능하다.

남편은 서두르지 않고 아이를 기다려주며 조금씩 실력을 키워나갔다. 자전거를 타는 실력이 조금씩 향상되면서 초등학교 3학년이 되었을 때 비로소 거리로 나갈 수 있었다. 이때는 브레이크를 능숙하게 다뤄 긴급 상황에도 충분히 대응할 수 있었다. 또 신호체계도 잘 이해하고 있어서 어려움 없이 거리를 질주했다.

자폐 아이에게 하나의 기술을 가르치고 나면 새로운 기술을 가르치기가 훨씬 쉬워진다. 자전거를 타기 시작하면서 유원이의 운동 능력이 전체적으로 향상되었다. 자전거 다음으로 도전한 운동은 줄넘기였다. 처음 줄넘기를 배울 때 아이는 어떻게 줄을 돌리고, 언제 뛰어야 할지 전혀 감이 없었다. 줄넘기를 가르칠 때도 ABA 방식으로 세분화해서 가르쳤다. 손동작 연습은 하지 않고 단체 줄넘기를 하듯 줄을 뛰어넘는 연습을 먼저 시켰다. 처음에는 한두 번 성공하는 데 그쳤지만, 반복적인 연습으로 줄을 뛰어넘는 횟수가 갈수록 늘어났다. 나중에는 20~30회는 가뿐히 뛸 정도로 잘 해냈다.

제자리 뛰기와 별도로 손으로 줄을 돌리는 연습을 따로 시켰다. 줄넘기의 줄을 잘라 뛰지 않고 줄만 돌릴 수 있도록 했다. 처음에는 줄을 돌리는 것이 제멋대로였다. 먼저 자세 잡는 법을 가르쳤다. 손의 위치를 정해주고 정해진 범위 안에서 손을 움직여 줄을 돌리도록 했다. 반복적인 연습으로 점차 줄 돌리기가 능숙해졌다. 다음으로 뛰면서 줄을 돌리는 연속 동작을 연습했다. 처음에는 제자리 뛰기와 줄을 돌리는 조합을 힘들어했지만, 반복적인 연습으로 조금씩 가능하게 되었다.

이제 일반 줄넘기로 연속 동작 연습에 들어갔다. 처음에는 한두 번 성공에 그쳤지만, 점차 횟수가 늘어나면서 50회 이상 할 수 있게 되었다. 3개월에 걸친 훈련의 결과였다. 줄넘기 연습을 하다 뛰어오르는 아이의 머리에 턱을 받친 남편은 6개월 동안 심한 통증에 시달리기도 했다. 아이의 발전을 위한 영광(?)의 상처였다. 덕분에 유원이는 태권도 도장에서 줄넘기를 가장 잘하는 아이로 뽑히기도 했다.

다양한 운동에 도전하다

태권도 도장은 일곱 살 때부터 보내기 시작했다. 운동보다는 또래 아이들과 놀면서 사회성을 키우기 위한 목적이 더 컸다. 4년 정도 다녔지만, 태권도 품새를 완벽하게 익힐 정도의 수준에는 도달하지 못했다.

그러나 유원이는 매일 도장에 가는 것을 즐거워했다. 도장에서 뛰어다니며 에너지를 발산하는 것만으로 충분히 의미 있는 시간이었다. 단체생활을 무리 없이 수행하고 일반 아이들과 더불어 생활하는 경험으로 만족해야 했다.

3학년 때부터는 스포츠 클라이밍에 다니기 시작했다. 약한 대·소근육을 향상하기 위한 목적도 있었지만, 유원이가 먼저 스포츠 클라이밍을 배우고 싶어 했다. 스포츠 클라이밍을 배울 때도 태권도처럼 센터에 보내는 정도에 그쳤다면 아이의 실력이 크게 늘지 않았을 것이다. 스포츠 클라이밍은 센터장의 배려로 처음에는 내가 함께 가서 아이를 직접 가르쳤다.

스포츠 클라이밍의 기본규칙을 내가 먼저 센터장에게 배우고 나서 작은 것부터 하나씩 유원이에게 가르쳤다. 잘하면 크게 칭찬해 더 잘할 수 있도록 동기부여를 했다. 내가 센터에 함께 머물렀기 때문에 배우는 중에 규칙을 어기고 자기 마음대로 행동할 때면 언제든 행동 중재가 가능했다. 그렇게 해서 유원이는 기술적으로 상당한 실력을 갖추게 되었다. 점차 나의 중재가 감소하면서 아이들과 섞여 지도자가 요구하는 대로 훈련을 따라갔다. 여전히 일반 아이들보다 실력에서는 뒤지지만, 벽을 능숙하게 오르는 모습을 보면 가슴이 뿌듯하다.

아이에게 운동을 가르칠 때도 ABA의 장점을 확인할 수 있었다. 남편과 내가 ABA로 직접 운동을 가르칠 때는 비교적 좋은 결과를 얻었지만, 운동 시설에 맡겼을 때는 아이가 배우는 것 자체를 어려워했고 배우는 속도도 느렸다. 로바스 박사는 "우리가 가르치는 방법으로 아이들이 배울 수 없다면 아이들이 배우는 방법으로 우리가 가르치면 된다."라고 했다. 로바스 박사의 주장은 자폐 아이들을 정확히 꿰뚫어 보는 놀라운 통찰이었다.

비슷한 시기에 남편이 인라인을 가르치기 시작했다. 코로나19로 운동 시설들이 문을 닫으면서 집에서 운동을 시켜야 했다. 인라인은 다른 운동보다는 쉽게 배웠다. 단 이틀 만에 혼자서 인라인을 타기 시작했다. 킥보드와 자전거를 타면서 중심 잡는 연습을 많이 한 덕분이었다. 일주일 정도 연습하니 인라인 실력이 크게 향상되었다.

그러나 인라인도 자전거처럼 정교한 기술을 습득하기까지는 상당한 연습이 필요했다. 인라인 역시 브레이크 잡는 법을 배우는 것이 가장 어려웠다. 내리막길과 오르막길에서 타는 것 역시 많은 연습이 필요했다.

오르막길보다는 내리막길을 더 무서워했다. 브레이크 잡는 법을 모르니 내리막길에 들어설 때마다 가속도가 붙어 두려움을 느꼈다. 두려움을 극복하기 위해서는 연습 외에 다른 방법이 없었다. 1년 동안 주 3~4회씩 연습을 반복하자 점차 두려움을 극복하고 자유롭게 타게 되었다.

코로나19가 오기 전에는 남편이 수영도 가르쳤었다. 수영도 자전거와 줄넘기처럼 발동작과 손동작을 개별적으로 연습한 후에 결합하는 방식으로 진행했다. 처음에는 호흡법과 발차기 연습을 꾸준히 시켰다. 두 가지 동작을 충분히 연습한 후 손동작 연습에 들어갔다. 손동작이 가능해지면서 각각의 동작을 조합하는 연습에 들어가려던 찰나에 코로나19가 찾아왔다. 수영장이 운영을 멈추어 수영 연습을 중단할 수밖에 없었다.

최근에 방역체계가 완화되면서 다시 수영 연습을 시작했다. 2년 이상 수영을 쉬었기에 다소 걱정이 앞섰다. 그러나 그동안 꾸준히 운동한 덕분에 전체적인 운동 기능이 향상되어 수영도 빠르게 배우는 모습을 보여주었다. 2주 만에 발동작과 손동작을 배우고, 두 동작을 연속 동작으로 실행할 정도로 성장세가 무섭다. 조만간 자유형은 무난하게 할 수 있을 듯하다.

집에서 집중치료를 받게 된 후부터는 치료사들이 운동을 가르쳤다. 치료사들이 축구, 농구, 야구 등 다양한 운동을 가르친 덕분에 유강이 운동 실력은 계속 발전했다. 특히, 코로나19 상황에서도 쉬지 않고 꾸준히 운동한 덕분에 유원이는 살찌지 않고 건강을 유지할 수 있었다.

아이가 다양한 운동을 성공적으로 배우게 된 데에는 ABA 도움이 컸다. 스포츠센터에서도 ABA 방식으로 배울 과제를 접근하도록 했을 때 아이 실력이 빠르게 향상되는 것을 볼 수 있었다. 새로운 운동을 시작할 때도 부모가 ABA로 직접 가르칠 때 배우는 속도가 빨랐다. 아이와 함께 보내는 시간이 많아 매일 조금씩 꾸준히 지도할 수 있었기 때문이다.

부모가 ABA로 직접 아이에게 운동을 가르치는 데는 적지 않은 시간과 에너지가 들어간다. 매일 아이의 발전을 위해 쳇바퀴 돌아가는 일상을 살아야 한다. 그 과정이 무척 고단하고 힘들겠지만, 노력한 만큼 아이의 변화를 느끼게 될 것이다. 남편이 아들과 자전거를 타고 극장에 가서 영화를 보고 돌아온 적이 있다. 불과 몇 년 전에는 상상하기 어려운 일이었다. 그날 밤 남편은 아들과 평범한 일상을 누리는 것이 꿈만 같다고 했다.

대중매체가 보여주지 않는 자폐인 2

평소에 일반인이 자폐인을 마주하는 일은 흔치 않다. 어려서부터 치료실, 특수학교 등 일반인과 다른 동선을 따라 생활하고, 성인이 되어서는 취업도 극히 제한적으로 이루어지기 때문이다.

반면에, 영화나 드라마 같은 대중매체를 통해 발달장애인과 만나는 기회가 꾸준히 늘고 있다. 비록 배우의 연기로 구현된 가공의 인물이지만, 발달장애인의 특징을 살린 연기자들의 노련한 연기 덕분에 시청자들은 영화나 드라마를 보며 자폐인을 조금씩 이해하게 되었다.

장애인을 배려하는 사회적 분위기가 조성되면서 영화나 드라마에 의도적으로 발달장애인을 노출하는 횟수도 늘고 있다. 부모조차 숨기고 싶은 발달장애인을 문화예술인들이 수면 위로 끌어올려 사람들의 관심을 불러 모으고 있는 것이다. 덕분에 대중과 단절되어 살아가던 발달장애인들이 점차 대중 앞에 나설 수 있는 용기를 얻고 있다. 사람의 시선이 미치지 않는 곳에서 숨죽이며 살아야 했던 발달장애인이 대중 앞에 당당히 나서도록 힘을 북돋아 주고, 연대의 손을 내밀어 주는 것은 얼마나 고마운 일인가!

그러나 영화나 드라마에서 재현된 발달장애인은 우리 주변에서 만나는 자폐인의 모습과는 상당한 거리가 있다. 대중과 거리감을 좁히고 친근한 존재로 다가서기 위해 자폐인의 이미지를 각색한 결과이다. 애초부터 상업성을 추구하는 대중매체가 자폐인을 여과 없이 보여주기란 쉽지 않을 것이다. 아무리 유능한 감독이라도 소통과 행동에 한계가 있는 자폐인을 등장시켜 드라마나 영화를 만들 수는 없기 때문이다.

최소한 타인과 소통할 수 있고 감정 표현이 가능한 자폐인이 등장해야 이야기 전개가 가능하다. 상황이 이렇다 보니 영화나 드라마에는 주로 고기능 자폐인만 등장한다. 내용의 극적 효과를 높이기 위해 고기능 자폐인 중에서도 특정 영역에서 뛰어난 능력을 발휘하는 비범한 인물이 등장한다.

그렇다면 현실은 어떨까? 영화나 드라마와 달리 자폐인은 언어적·비언어적 의사소통 능력이 현저히 떨어진다. 자폐인들 대부분은 언어 손상으로 의사 표현이 원활하지 못하며, 자폐인의 3분의 1은 발화가 안 되어 의미있는 말을 하지 못한다. 또 대·소근육이 발달하지 못해 머리를 감거나 옷을 갈아입는 등의 간단한 행위도 어려워하는 자폐인이 적지 않다.

또 지적 장애를 동반하기 때문에 학습 능력이 많이 부족하고, 상호작용이나 모방이 어려워 낮은 사회성을 보인다. 타인에 대한 관심이 없고 주로 자기 세계 안에 머물기 때문에 다른 사람과 소통과 공감이 제대로 이루어지지 않는 것도 자폐인의 특징이다. 그 결과 친구도 없이 사회에서 고립된 채 홀로 살아가는 경우가 많다. 이게 우리 주변에서 살아가는 자폐인의 실제 모습이다.

그러나 영화나 드라마는 자폐인들의 실제 모습은 보여

주지 않는다. 대중매체에는 비범한 능력을 소유한 고기능 자폐인만 등장하기 때문에 오히려 사람들은 자폐인을 뛰어난 능력의 소유자로 믿는 경향이 있다. 문화예술계 종사자들이 나서 발달장애인을 대중 친화적인 존재로 부각했으나, 그들의 선한 의도와 달리 자폐인들의 실제 모습은 제대로 알려지지 않고 있다.

대중매체에 서번트 증후군이나 아스퍼거 증후군 같은 특정 범주의 자폐성 장애인만 등장하면 사람들은 자폐성 장애를 제한적으로 이해하게 된다. 현실과 동떨어진 자폐인의 모습만 계속 보면 사람들은 자폐인이 처한 현실과 직면한 문제가 무엇인지 제대로 파악하지 못한다. 아울러 자폐인의 절박한 상황을 알지 못하기 때문에 정부의 정책도 제대로 수립되기 어렵다. 따라서 눈에 보이는 소수의 자폐인보다 눈에 보이지 않는 다수의 자폐인을 보여주어야 한다. 그것이 자폐 문제를 해결하기 위한 첫걸음이다.

09

ABA로 한글 가르치기

유원이는 어렸을 때 틈만 나면 책을 펼쳐보곤 했다. 아이가 책을 좋아한다고 생각한 나는 자주 책을 읽어주려고 했다. 그러나 막상 책을 읽어주려고 하면 아이는 책에 흥미를 보이지 않고 딴짓을 했다. 책과 친해지도록 종종 도서관에도 데려갔으나 거기서도 책에 관심이 없기는 마찬가지였다. 마치 놀이터에 놀러 온 아이처럼 이리저리 뛰어다니다 직원들의 눈총을 받기 일쑤였다. 사실 유원이는 책을 좋아한 것이 아니다. 책 페이지를 넘기면서 촉감을 즐기는 감각추구를 한 것이다. 자폐 아이들이 어릴 때 보이는 흔한 행동 중 하나이다.

유원이는 초등학교 3학년이 되어서야 스스로 책을 읽

게 되었다. 3학년이 되자 책에 관심을 보이더니 가벼운 그림책들은 앉아서 몇 권씩 읽어낼 정도로 독서 능력이 향상되었다. 도서관에 가도 더는 떠들지 않고 책 읽기에 집중했다. 그 후로 일주일에 서너 번은 도서관에서 책을 빌려와 꾸준히 독서를 하고 있다.

최근에는 유원이가 책 읽는 재미를 느낄 수 있도록 다양한 시도를 하고 있다. 예를 들면, 나는 왼쪽, 유원이는 오른쪽 이렇게 한 페이지씩 돌아가며 책 읽기를 한다. 책 읽기 전 유원이는 미리 책을 훑어보고 글이 적은 쪽을 읽으려고 읽을 페이지를 미리 찜해 둔다. 나는 모르는 척 속 아주면서 책을 읽어나간다. 페이지를 넘길 때마다 "엄마가 읽는 페이지에는 글이 왜 이렇게 많지?" 하며 속상한 표정을 지으면 유원이는 깔깔거리며 좋아한다. 책 읽기를 놀이로 생각한 유원이는 한동안 저녁마다 같이 책을 읽자며 쫓아다녔다.

애니메이션을 보여주고 관련 내용이 담긴 책을 읽혔을 때도 독서 효과가 높게 나타났다. 애니메이션을 보며 역사적 사건이나 인물을 충분히 이해한 후에 관련 내용이 수록된 책을 읽히면 내용을 이미 숙지하고 있어서 그런지 책을 수월하게 읽어냈다. 책 읽는 유원이를 보면 힘들게 한글을 가르치던 지난날이 떠오르면서 동시에 보람도 느낀다.

NCT 학습법으로 한글 가르치기

유원이는 여섯 살 때 처음 한글을 배웠다. 자폐 아이는 배우는 속도가 또래보다 느리다. 그래서 전문가는 조금 일찍 한글을 가르치라고 권했다. 그 말을 듣고 여섯 살에 한글을 가르치기 시작했다. 유원이는 받침 없는 글자는 수월하게 배웠지만, 받침글자 읽는 것을 어려워했다. 어려운 받침글자가 나오면 헷갈리는지 정확하게 읽지 못했다. 문장을 정확히 읽기까지는 꼬박 3년이 걸렸다.

　나는 유원이가 한글을 쉽게 배울 수 있도록 체계적인 방법을 도입해 가르쳤다. 먼저 유원이가 알고 있는 사물 그림이 담긴 10개의 단어 카드를 준비했다. 하마, 사자, 곰, 주스, 빵, 거미 … 등의 단어들이었다. 유원이를 불러서 앉힌 후 단어가 적힌 카드를 눈앞에 보여주었다. 그리고 유원이가 카드에 집중하는 순간에 맞춰 카드에 적힌 단어 이름을 불러주었다. 시각적인 정보와 청각적인 정보를 결합해 한글 단어를 통으로 익히는 방법이다. 이 방법은 밥 선생님에게 배운 NCTNon-contingent teaching, 비수반적 교수법18 학습법으로 구조적인 노출을 통해 학습을 촉진하는 것이다.

NCT로 한 시간에 한 번씩 매일 세 번 이상 한글을 노출해 주었다. 이 과정을 반복하는 동안 유원이는 자연스럽게 통문자로 한글을 익혔다. 한글 카드를 들었을 때 낯익은 단어가 나오면 유원이는 나보다 먼저 소리 내서 단어를 읽었다. 그것은 유원이가 이미 그 단어를 알고 있다는 것을 의미했다. 그러면 유원이가 아는 단어는 빼고 새로운 단어를 추가해서 노출을 반복했다.

읽을 수 있는 단어들은 따로 모아서 완전히 익숙해질 때까지 반복해서 연습했다. 이렇게 노출을 통해 학습한 단어들을 아는 단어와 모르는 단어로 구분해 매일 기록했다. 기록을 통해 아이가 읽을 수 있는 단어 목록들이 나날이 늘어가는 것을 확인할 수 있었다. 또 기록은 어떤 단어를 추가해야 할지 판단할 근거자료로 사용되었다.

읽을 수 있는 통문자 단어들이 상당히 늘었을 때 한 음절 단어들을 노출하는 수업을 추가했다. '가, 나, 다, 라' 같은 음절들이다. 노출 방법을 다양하게 시도해 보았다. '가, 나, 다, 라 … ' 순으로 해 보고, 자음과 모음의 결합을 바꿔 다른 단어들을 만들어 시도해 보기도 했다. 시각적으로 비슷하지 않은 음절들 즉, '기, 누, 호, 머 … ' 이렇게 단어를 구성하면 더 쉽게 배울 수 있을 것 같았다. 그러나 유원이는 음절 통문자 노출로 배우는 데 많은 시간이 걸렸고, 모양이 비슷한 단어들을 헷갈렸다. 예를 들면, '기'와 '가'는 구별했지만, '기'와 '그'는 구별하지 못했다. 특히, 받침 있는 음절을 배울 때는 단순 노출만으로는 배우는 시간이 훨씬 더 걸렸다.

그때부터 통문자 대신 자음과 모음을 결합하는 원리로 한글을 가르쳤다. 한글을 가르칠 때는 통문자로 가르치거나 자음과 모음을 결합하는 방식으로 가르치는 두 가지 방법이 있다. 한글은 나이가 어릴수록 통문자로 배우는 게 더 쉽다고 알려져 있다. 그러나 반드시 그런 것은 아니다. 아이마다 차이가 있으므로 아이가 더 쉽게 배우는 방법을 선택하면 된다. 유원이는 처음에는 통문자로 가르치다 받침이 있는 음절부터는 자음과 모음의 결합 원리를 알려주는 방법으로 가르쳤다.

자음과 모음 결합 학습도 NCT 노출 방법을 이용했다. 자음과 모음 카드를 만들어서 아이 앞에서 자음과 모음 발음을 하나씩 불러주고, 결합하였을 때 소리를 카드와 함께 들려주었다. 'ㄱ' 카드를 보여주면서 '그' 소리를 들려주었고, 'ㅏ' 카드를 보여주면서 '아'라고 들려주었다. 그리고 두 카드를 모아서 '가' 소리를 들려주었다. 자음과 모음이 결합하여 새로운 음절이 된다는 것을 시각과 청각을 동시에 이용해 배우도록 하는 방법이다. 이 방법으로 자음은 'ㄱ'부터 'ㅎ'까지, 모음은 'ㅏ'부터 'ㅣ'까지 결합하여 노출했다. 받침글자 역시 '자음+모음+자음' 이렇게 결합하는 방식으로 가르쳤다.

자음과 모음의 음운 소리 노출로 유원이는 한글 받침 글자까지 수월하게 배웠다. 그다음부터는 치료사가 한글 수업을 진행했다. 치료사가 조금은 과장된 동작으로 음절과 받침이 결합하는 모습을 정확한 발음과 함께 보여주었다. 유원이는 치료사의 입 모양과 카드를 보면서 글자의 소리 음가를 알아갔다. 즉, '강'과 '감'의 차이가 받침 소리 'ㅇ'과 'ㅁ'으로 달라진다는 것을 알게 되었다. 음운 인식이 생기자 소리만 듣고도 해당 글자를 쓸 수 있게 되었다. 덕분에 다음 단계인 받아쓰기도 어렵지 않게 진행할 수 있었다.

연필 잡고 쓰기와 손가락으로 쓰기

읽기와 쓰기는 중요한 학습 기능이므로 한글 노출과 함께 연필을 잡고 쓰는 연습을 병행하였다. 소근육이 유독 약했던 유원이는 연필을 잡고 쓰기 위해 소근육 훈련을 먼저 했다. 손힘을 키우기 위해 스트레스볼[19]을 꾸욱 누르는 연습과 엄지와 검지 힘을 키우기 위해 빨래집게를 엄지와 검지로 집어서 끼고 빼는 연습을 했다. 또 요리용 집게로 작은 구슬이나 물건을 집어 올리는 연습도 병행했다. 해외에서는 소근육을 키워주는 집게를 따로 판매하지만, 우리나라에서는 구하기가 어려워 생각해낸 임시방편이었다. 집게에 따라 사용하는 힘의 양이 달라서 다양한 집게를 사서 연습했다. 아이들의 소근육 훈련을 위해 사용되는 테라퍼티[20]도 큰 도움이 되었다.

밥 선생님의 지도를 받으며 연필 잡기 연습을 본격적으로 시작했다. 밥 선생님은 연필 교정용 보조도구를 사용하지 않고 연습하도록 했다. 교정용 보조도구로 연습하면 나중에 보조도구를 뺀 후 처음부터 다시 연습해야 한다. 따라서 효율성을 높이기 위해 교정기 없이 연필 잡는 연습이 낫다는 것이다.

유원이는 연필을 잡고 쓸 때 엄지와 검지 힘이 약해 손가락이 연필심 쪽으로 내려가곤 했다. 또 연필 각도가 직각에 가깝게 세워지기도 했다. 그럴 때마다 유원이에게 잘못 잡았다는 피드백을 주고 연필을 빼서 다시 잡게 했다. 연필을 잡은 상태에서 교정해 주지 않는 것이 중요했다. 다른 사람의 도움으로 연필 잡기를 교정하면 스스로 잘 잡아야겠다는 의욕이 사라진다. 스스로 연필을 잘 잡기 위해 노력하도록 아이를 조금 귀찮게 할 필요가 있었다. 그래서 처음부터 연필을 다시 잡도록 했다.

소근육을 조절하는 기능이 약한 아이들은 글을 쓸 때도 손가락과 손목만 쓰는 것이 아니라 팔 전체를 사용하려 한다. 유원이도 마찬가지였다. 이 같은 행동을 교정하기 위해 글을 쓸 때 팔이 움직이지 않도록 책상에 길게 테이프를 붙여 두었다. 그 테이프를 따라 손목만 옆으로 움직이도록 연습했다.

오랜 연습을 통해 유원이는 연필을 잡고 글자를 쓸 뿐

만 아니라 그림에 색칠까지 할 정도로 발전했다. 알림장을 쓰고, 그림을 그리는 유원이의 현재 모습은 엄청난 노력의 결과다. 연필 잡기를 연습하는 동안 한글의 자음과 모음의 획순을 손가락으로 따라 쓰는 연습도 했다. 간단한 단어는 손가락으로 쓰기를 먼저 익혔다. 손가락으로 획순을 다 외운 덕분에 연필을 잡고 숫자나 글자를 쓰는 것이 한결 쉬웠다.

글자 읽기에서 유창성 훈련까지

한글 익히기의 마지막 단계는 복잡한 겹받침 읽는 법을 배우는 것이었다. 우선 어떤 겹받침이 있는지 모두 조사했다. 그리고 각각의 겹받침이 어떻게 소리 나는지 학습했다. 다음으로 받침글자 뒤에 모음이 오면 받침소리가 연음되는 것도 가르쳤다. 겹받침과 연음법칙을 가르칠 때는 유원이가 어느 정도 감을 잡을 정도로만 지도했다. 이때부터는 책을 읽으면서 자연스럽게 체득하는 방법으로 나아갔다.

이중모음처럼 발음하기 어려운 음절들도 책을 읽어주면서 노출을 시도했다. 한 문장 읽기, 두 문장 읽기로 점차 읽는 양을 늘려나갔다. 처음에는 한 글자씩 더듬더듬 읽더니 시간이 흐르면서 점점 더 또박또박 읽어나갔다.

아이의 읽기 능력이 향상되어도 방심할 수 없었다. 읽기에 자신감이 붙자 유원이는 자꾸 조사와 단어를 빼고 읽었다. 그래서 천천히 정확하게 읽기 위해 한 페이지씩 번갈아 가며 읽기를 했다. 곁에서 함께 책을 읽으며 아이의 책 읽기 속도를 조절해 주었더니 읽기 능력이 한층 더 좋아졌다.

유원이는 아직 초등학교 2~3학년 수준의 그림책 읽기를 좋아한다. 두껍고 글이 많은 책을 읽기에는 시간이 더 필요할 것 같다. 그러나 성실한 유원이는 끊임없이 책을 읽어내고 있다. 또래 친구들이 단행본 한 권을 읽을 때 유원이는 그림책 3~4권을 읽기에 독서량으로는 결코 뒤지지 않는다.

이렇게 책을 읽어가다 보면 언젠가는 유원이가 형이상학적 사고를 할 수 있을 것이라 믿는다. 그때 나는 아이와 함께 책을 가지고 떠나는 독서 여행을 하고 싶다. 숲이 우거진 숙소에 책을 잔뜩 풀어놓고 종일 책을 읽으며 영혼의 안식을 누리는 여행은 생각만 해도 행복하다.

강점이 아닌 약점을 보라!

대중매체에 등장하는 발달장애인은 특별한 재능을 가진 자폐인이 대부분이다. 화제성을 위해 특별한 재능을 소유한 자폐인을 내세우는 것은 충분히 이해할 만하다. 문제는 그런 식으로 여론이 형성되면 자폐인이 대중의 관심을 받기 위해 지나치게 특정 기능에 매달리게 된다.

그 결과 상대적으로 취약한 기능을 제때 끌어올리지 못해 발달장애를 악화시키는 결과를 가져온다. 자폐스펙트럼장애는 다양한 기능을 발전시켜 균형 잡힌 발달을 추구해야 하지만, 특정한 기능에만 집중하면 균형 잡힌 발달이 어려워진다. 대중매체가 음악이나 미술 등에서 뛰어난 재능을 발휘하는 자폐인을 주로 보여주는 것이 오히려 자폐인에게 독이 되는 이유이다.

부모는 아이가 특정 분야에서 두각을 나타내면 그 분야에 집중해 재능을 키워주려 한다. 우리 사회가 특별한 재능을 가진 장애인에게만 화려한 스포트라이트를 비추기 때문이다. 부모가 이 현란한 사회적 유혹에 속아 넘어가는 순간 자녀의 균형 잡힌 성장은 점점 어려워진다. 결과적으로 아이는 돌이킬 수 없는 피해를 떠안게 된다.

음악이나 미술처럼 특정 분야에서 뛰어난 재능을 발휘해도 정작 아이는 자립하지 못한 채 평생 타인에 의존해 살아가게 된다. 부모들은 그런 자녀를 두고 떠날 수 없어서 '자식보다 하루만 더 살다 죽는 게 소원'이라는 안타까운 말을 되풀이한다. 영화나 드라마가 자폐를 하나의 상품으로 소비할 때 정작 자폐 아동과 부모의 삶에는 짙은 어둠의 그림자가 드리워지는 역설적 현상이 나타나는 것이다.

2017년 개봉한 영화 〈채비〉는 자폐인 가족의 실제적인 어려움을 사실적으로 그려낸 작품이다. 자폐가 있는 아들보다 하루를 더 살고 싶은 어머니는 말기 암 진단을 받으면서 자기의 소원이 불가능하다는 사실을 깨닫는다. 어머니는 얼마 남지 않은 시간 동안 아들의 자립을 위해 새로운 도전을 시작한다. 홀로 남을 아들의 독립을 위해 음식 조리법과 대중교통 이용법을 가르치고, 제과점 취업을 위해 빵 만드는 기술을 배우게 한다. 남은 생을 불태운 어머니의 희생 덕분에 아들은 점차 독립적인 생활이 가능해진다. 마침내 어머니가 떠나고 아들이 홀로서기에 성공한 모습을 보여주며 영화는 끝을 맺는다.

영화를 본 사람들은 하나같이 감동적이라고 소감을 밝혔다. 일반인에게 감동을 불러일으킨 영화가 우리 부부에게는 별다른 감동을 주지 못했다. 오히려 영화가 끝난 후 반감이 생겼다. '왜 어머니는 좀 더 일찍 아들의 자립을 위해서 노력하지 않았을까?'

영화와 달리 자폐인은 짧은 훈련으로는 절대 자립에 성공하지 못한다. 영화가 현실을 가장해 비현실적인 이야기를 만들어낸 것이다. 자폐인은 어린 시절부터 충분한 치료와 훈련을 받아야 겨우 독립적인 생활이 가능하다. 성인 발달장애인이 몇 개월의 직원 훈련을 받은 후 자립하는 것은 영화에서나 가능한 일이다. 대중매체가 보여주는 자폐인은 현실에는 존재하지 않는 상상 속의 '그대'일 뿐이다.

자폐인이 독립적인 삶을 살아가기 위해서는 영화나 TV를 찢고 나와서 현실을 정확하게 직시해야 한다. 자폐는 단기간의 치료로는 회복이 어려우며, 장기적인 치료를 통해서만 발달 기능을 회복할 수 있다. 아주 작은 행동도 수많은 연습을 거쳐야 겨우 실행할 수 있다. 그것도 로바스 박사의 주장처럼 어려서부터 주 40시간 이상의 집중치료를 받아야만 부족한 발달기능을 끌어올릴 수 있다. 아이에게 뛰어난 재능이 있다면 그건 신의 특별한 선물이지만, 신의 선물도 아이의 부족한 기능을 보완해 주어야만 계속해서 빛을 발할 수 있다. 따라서 부모는 늘 아이의 강점보다 약점을 주목하며 장기적인 치료와 교육에 매진해야 한다. 아이의 재능과 상관없이 궁극적으로 자립할 수 있도록 노력해야 한다. 이런 노력을 통해 아이의 발달기능이 서서히 회복된다면 자식보다 하루 더 살게 해 달라는 기도가 더는 필요 없을 것이다.

10

집에서 미국식 ABA 치료를 받다

한국 부모들이 힘겹게 자녀들을 치료하는 동안 미국 ABA 베어스는 한국 부모들을 도울 방안을 모색하고 있었다. 부모들은 전문가의 지도를 받아 치료사의 역량을 충분히 갖추었으나 매일 긴 시간 아이 치료에 매달리는 것은 무리였다. 부모를 도와 아이를 치료할 조력자가 절실히 필요했다. 전문 치료사가 부모와 함께 치료를 진행한다면 아이들의 기능은 빠르게 향상될 수 있었다. ABA베어스의 제임스 대표는 누구보다 이 사실을 잘 알고 있었다.

얼마 후 한국의 부모들에게 희소식이 전해졌다. 한국의 자폐 아이들을 돕기 위해 미국 ABA베어스가 한국 지사 설립을 결정한 것이다. 한국 지사의 목표는 미국 ABA 베어스의 치료서비스를 한국 아이들에게 똑같이 제공하는 것이었다. 더 놀라운 일은 선발한 아이들을 무상으로 치료하겠다는 계획이었다. 이 프로젝트가 성공하기 위해서는 미국과 한국 사이에서 징검다리 역할을 해 줄 전문가가 필요했다. 이때 자원해서 그 역할을 맡아 준 사람이 바로 공은지 선생님이다.

한국 가정에서 미국식 ABA를 하다

공은지 선생님은 영어와 한국어에 능통한 재미교포 2세로 ABA베어스에서 진행하는 온라인 컨설팅의 통역을 맡고 있었다. 통역 일을 하는 동안 한국의 열악한 치료 환경을 알게 되었고, 한국의 자폐 아이들을 돕고 싶어 한국 근무를 자원했다. 당시 한국 부모들은 지역별로 팀을 구성해 ABA베어스로부터 온라인 컨설팅을 받고 있었다. 그중 어느 지역의 팀을 중심으로 치료서비스를 시작할지 논의를 진행했다.

공은지 선생님은 내가 활동하던 일산·파주 지역 부모들의 열정을 높이 평가했고, 이 지역에서 한국 ABA베어스 활동을 시작하고 싶다고 했다. 공은지 선생님의 결정으로 한국 ABA 베어스는 일산·파주에서 활동을 시작했다. 우선 네 명의 아이들에게 치료서비스를 제공하기로 했고, 유원이도 그 안에 포함되었다.

2017년 가을에 공은지 선생님이 치료 책임자로 한국에 들어왔다. 치료사로서 탁월한 능력을 갖춘 공은지 선생님이 오면서 부모들은 한껏 기대에 부풀어 있었다. 공은지 선생님은 한국에 도착하자마자 부모들과 개별 상담을 진행한 후 아이들을 한 명씩 관찰하는 시간을 가졌다. 동시에 각각의 아이에 맞춰 개별 프로그램을 짜고, 치료사를 채용해 훈련을 시키면서 한 명씩 ABA 집중치료를 시작했다. 유원이는 폐렴에 걸리는 바람에 맨 마지막으로 치료를 시작했다.

2018년 1월부터 유원이는 집에서 ABA 집중치료를 받았다. 처음 시작한 아이보다 겨우 석 달 늦었을 뿐인데 1년 넘게 기다린 것처럼 기다리는 시간이 길게 느껴졌다. 그만큼 ABA 치료에 대한 기대가 컸다. 유원이에게 배정된 치료사들은 세 명의 젊은 남자 선생님들이었다. 유원이 치료는 세 명의 치료사들과 슈퍼바이저인 공은지 선생님, 그리고 우리 부부로 팀이 구성되었다.

수업은 월요일부터 토요일까지 오전과 오후에 각각 세

시간씩 주 6일 동안 이루어졌다. 세 명의 치료사들이 매일 오전과 오후 시간에 돌아가며 집을 방문해 유원이 치료를 진행했다. 치료는 포괄적으로 이루어졌다. 집, 학교, 그리고 지역 사회 등 다양한 생활영역에서 살아가는데 필요한 기능을 가르치는 일에 집중했다. 수업은 토요일에도 진행되었다. 하루도 쉬지 않고 치료를 진행해야 치료 효과가 높기 때문이었다. 일요일에만 치료가 없어서 부모가 치료사 역할을 대신했다.

이 같은 ABA 치료를 조기집중행동교정Early Intensive Behavior Intervention이라고 부른다. 미국에서는 조기집중행동교정 치료를 보통 4세 이하의 자폐 아이들이 받는다. 유원이는 초등학교 입학을 앞두고 집중치료를 시작했기에 미국 아이들에 비하면 다소 늦은 시작이었다. 그러나 한국에서는 미국 ABA 클리닉에서 치료받는 것처럼 가정에서 주 40시간 집중치료를 받는 거의 유일한 아이였다.

보통 치료기관에서는 학령기에 접어든 아이보다 영유아 치료를 선호한다. 영유아 치료가 더 쉽고 치료 효과도 높기 때문이다. 반면에, ABA베어스는 치료기관의 유익보다 자폐 아이들의 발전이 더 중요하다는 철학을 바탕으로 학령기 아동들에게 첫 서비스 제공을 결정했다. 경제적 여건 때문에 ABA 치료실도 다니기 어려웠던 유원이가 집에서 미국의 치료서비스를 무상으로 받게 된 것은 기적 같은 일이었다.

ABA베어스에서는 일주일에 한 번씩 모든 치료사가 모여 팀미팅을 진행한다. 일주일 동안 진행된 유원이 치료 성과를 공유하고 치료 목표와 기준을 점검하는 시간이다. 나는 아직도 유원이의 첫 팀미팅 때 느꼈던 감격을 잊을 수가 없다. 유원이가 구강 모방을 어려워하자 치료사들은 다 같이 거울 앞에 모여서 유원이 혀의 움직임을 관찰하고 무엇이 문제인지 파악하려 애썼다. 그다음 어떻게 가르쳐야 유원이가 더 쉽고 효율적으로 배울 수 있을지 논의했다.

나는 열의에 찬 치료사들의 모습을 한 걸음 물러서서 바라보았다. 유원이를 위해 함께 고민하는 팀이 있다는 것만으로도 마음이 든든했다. 유원이를 어떻게 가르쳐야 할지 몰라 홀로 고민하던 지난날을 생각하면 엄청난 변화가 아닐 수 없었다.

유원이의 집중치료 프로그램

유원이 치료 프로그램은 기초적인 내용을 중심으로 짰다. 아이의 강화물을 찾아 눈 맞춤을 증가시키는 '강화샘플링' 프로그램, 지시를 따르는 '이리 와' 프로그램, 자신의 위생관리를 위한 '손 씻기' 프로그램, '대·소근육 동작 모방' 프로그램을 진행했다. 언어 프로그램은 발음 교정을 위한 구강 모방 프로그램과 한글 배우기 프로그램을 진행했다.

그 밖에 다양한 놀이와 야외 운동 프로그램을 병행했다. 치료 프로그램에는 이미 배운 내용도 상당히 포함되었다. 엄마에게 배운 내용이지만 치료사를 통해서도 과제 수행이 가능한지 확인이 필요했기 때문이다. 또 쉬운 과제부터 시작함으로 실패 경험보다는 성공 경험을 쌓아가는 것도 중요했다.

ABA베어스에서 진행하는 모든 치료 과정은 프로그램별로 기록지에 기록하였다. 행동 분석을 위해 수업을 동영상으로 녹화하기도 했다. 시간이 지날수록 커다란 바인더에 유원이의 치료 내용이 담긴 기록지가 차곡차곡 쌓여갔다. 한 주간의 기록들은 팀미팅 전날까지 책임 치료사의 분석을 거쳐 팀미팅 시간에 팀원들에게 공유되었다. 이 내용을 바탕으로 아이의 치료 계획을 수립했다.

ABA베어스의 치료는 치료사가 직접 가정을 방문해 진행한다. 가정치료는 짧은 수업을 받기 위해 2~3시간을 오가는 센터 치료보다 효율적이고 아동 중심적인 치료 방식이다. 반면에, 가정치료로 발생하는 어려움도 적지 않다. 매일 오전 오후에 걸쳐 치료사가 가정에 머물기 때문에 가족들이 사생활을 보호받기 어려운 단점이 있다. 우리 가족도 치료사들의 방문에 항상 긴장을 늦출 수가 없었다. 가정치료를 위해서는 가족 모두의 이해와 희생이 필요했다.

특히, 유원이가 문제행동으로 한두 시간씩 울고 소리 지르고 떼를 쓸 때는 가족 모두가 견디기 어려울 정도로 힘든 시간을 보냈다. 2020~21년에는 코로나19로 온 가족이 실내에 머무는 시간이 많아지면서 그 피로감이 극에 달하기도 했다. 가족들 모두가 너무 예민해져 살짝 건드리기만 해도 폭발할 것 같은 긴장의 연속이었다.

치료 시간에 보호자가 반드시 곁에 머물러야 한다는 치료 원칙도 우리 부부를 몹시 불편하게 했다. 월요일부터 토요일까지 유원이 치료 시간에 보호자 한 명은 늘 유원이 곁에 머물러야 했다. 치료사는 치료에 집중하고, 그 외의 역할은 보호자가 맡는다는 가정치료의 원칙 때문이다. 우리 부부는 다른 가족의 도움을 받을 수 없어서 남편과 나의 외부 일정이 겹치는 날이면 무척 난처했다. 외출할 일이 생기면 남편과 일정을 조율해야 했다.

아이의 문제행동에 대응하는 것도 무척 힘들었다. 집중치료를 시작한 첫해에 유원이의 문제행동 중재를 치료의 우선순위에 두었다. 유원이는 엄마의 지시는 잘 따랐지만 다른 사람의 지시는 여전히 잘 따르지 않았다. 새로운 치료사가 올 때마다 한동안 충돌이 이어졌고, 일단 치료사의 지시를 거부하면 고집을 꺾지 않고 강하게 맞섰다. 이 문제를 해결하는 것이 가장 힘든 과정이었다.

스스로 세운 규칙과 강박을 깨는 일 역시 쉽지 않았다. 가령, 양치질 훈련을 받은 유원이는 하루 세 번씩 규칙적으로 양치질을 했다. 규칙적으로 양치질하는 습관을 갖게 되자 식사를 마치면 꼭 이를 닦았다. 이 좋은 습관도 외식할 때는 문제가 되었다. 식당에서 식사를 마치면 집에 가서 양치하겠다고 고집을 부렸고, 밖에 있는 내내 울며 고집을 꺾지 않았다. 규칙이 어느새 강박이 된 것이다. 따라서 유원이는 다양한 행동을 가르치면서도 강박적인 행동이 나타나지 않도록 세심한 노력을 기울여야 했다.

가장 힘들었던 문제행동 중재

유원이는 중재가 필요한 행동들이 많았다. 과제가 조금 어렵거나 생각을 요구하는 경우에 짜증을 내거나 과제를 회피했다. 옷이 조금만 젖어도 갈아입으려 했고, 글을 쓰다가 글자를 틀리면 꼭 지우개로 지워야 했다. 핸드폰 벨이 울리면 어떤 상황에서든 전화를 받으라고 독촉했다. 엄마나 아빠가 전화를 받지 않으면 초조하고 불안해하며 견디지를 못했다.

아이의 강박이나 두려움은 비슷한 상황에 조금씩 노출하는 둔감법을 사용하여 지도하였다. 아이가 두려워하는 대상을 아주 낮은 수준으로 노출하다가 서서히 단계를 높여가면서 아이 스스로 강박이나 두려움에서 벗어나도록 돕는 방법이다. 둔감법을 이용해 아이의 불안감을 해소해 주면서 아이가 스스로 정해놓은 상황과 다른 상황이 되어도 괜찮다는 것을 가르쳐주었다. 어려운 문제에 직면하더라도 쉽게 포기하지 않고 과제를 수행하기 위해 조금이라도 노력하도록 유도했다. 아이가 할 수 있는 수준에서 스스로 생각하며 문제를 해결해 나가도록 격려하며 기다려주었다.

유원이가 치료사의 지도를 거부하고 짜증을 내면 치료사는 유원이에게 충분한 도움을 주며 끝까지 격려해 주어진 과제를 마치도록 했다. 이 과정에서 유원이가 물건을 던지면 다시 주워오도록 했다. 화가 나서 주변의 장난감을 던지고 흩어 놓으면 문제행동이 끝났을 때 스스로 정리하도록 했다. 유원이가 울거나 짜증을 내면 진정할 때까지 기다렸다가 다시 목표했던 과제로 돌아가 수행하도록 했다.

유원이는 종종 치료사 선생님들에게 공격적인 행동을 했다. 얼굴을 할퀴거나 꼬집고 발로 차는 폭력적인 행동이 나타났다. 아이의 공격으로 선생님 얼굴과 몸에 상처가 나기도 했다. 그때마다 선생님들은 흥분하지 않고 이성적으로 대처하며 차분하게 아이의 행동을 중재했다. 특히 공은지 선생님은 유원이가 문제행동을 보이면 즉시 달려와 치료사가 적절하게 아이의 행동을 중재하도록 지도했다. 유원이의 문제행동이 길어지면 치료사가 그 행동을 중재하느라 점심 식사를 제대로 못 할 때도 있었다.

아이가 공격적인 행동을 하면 좋아하는 핸드폰이나 컴퓨터의 사용을 일정 기간 금지하는 강력한 벌을 사용했다. 이유가 어찌 되었든, 다른 사람을 때리는 폭력적인 행동은 최대한 빨리 없애야 할 행동이었기 때문이다. 아이는 폭력 대신 다른 사람이 이해할 수 있는 방식으로 자기 분노를 표출하는 방법을 배워야 했고, 그것을 가르치기 위해 단호한 대처가 필요했다.

직접 아이를 상대하는 치료사들도 힘들었지만, 치료 과정을 지켜보는 나도 몹시 힘들고 괴로운 시간이었다. 자기 행동이 잘못되었다는 것을 알지 못하고 끝까지 저항하는 아이가 안쓰러웠고, 때로는 치료사들이 아이를 함부로 대하는 것 같아 화가 나기도 했다. 엄마로서 이성보다 감정이 앞서는 것은 어쩔 수 없는 일이었다. 하루하루 전쟁을 치르듯 보내는 힘겨운 나날의 연속이었다.

그러나 힘든 치료 시간을 통과하면서 유원이는 강박적인 규칙에서 벗어나 점차 자유로운 아이가 되었다. 옷이 조금만 젖어도 당장 갈아입어야 한다고 떼를 쓰던 아이가 이제는 옷이 젖어도 크게 신경 쓰지 않는다. 게임에서 지거나 문제를 틀리면 화를 냈는데, 그런 경향도 점차 수 그러들었다. 자기의 요구가 거절당하면 바로 화를 내기 보다 애교를 부리며 다시 요구하기도 한다.

아이의 문제행동으로 힘들어하는 부모들은 종종 묻는 다. "문제행동 중재를 이렇게까지 해야 하나요? 아이가 원하는 대로 해 주면 안 되나요?" 전에는 나도 같은 생각 을 했었다. 이제는 밥 선생님이 내게 들려준 말을 부모들 에게 그대로 들려준다. "아이가 안쓰러워 문제행동을 그 대로 두면 아이는 행복할 수 없습니다. 당장은 힘들어도 아이를 위해 문제행동을 중재해야 합니다."

지금까지 진행된 유원이의 치료 과정은 한순간도 순탄 하지 않았다. 그러나 ABA베어스라는 조력자를 만난 덕분 에 유원이는 많은 기능을 회복할 수 있었고, 우리 가정에 드리운 무거운 짐도 조금은 덜 수 있었다. ABA베어스와 의 만남은 내 인생에서 일어날 수 있는 최고의 행운이었 다. 아무 연고도 없는 한국의 아이들을 위해 어떤 대가도 바라지 않고 치료의 손길을 베푼 그들의 은혜는 영원히 잊지 못할 것이다.

이민을 선택하는 부모들

한국의 열악한 치료 환경에 실망한 자폐 부모들의 미국 이민이 해마다 늘고 있다. 미국에서는 아이 수준에 맞는 다양한 치료서비스를 받을 수 있기 때문이다. 미국은 1980~90년대에 다양한 사회적 논쟁을 거치면서 자폐 아동을 위한 교육 및 치료서비스가 자리를 잡았다. 자폐 아동을 위한 통합교육이 잘 정착되어 있어서 이민을 선택한 부모들의 만족도 높은 편이다.

비싼 민간 의료보험료로 악명 높은 미국이지만 적절한 보험료만 내면 수준 높은 ABA 치료서비스를 받을 수 있는 것도 큰 장점이다. 미국 이민을 선택하는 배경에는 치료서비스뿐만 아니라 장애인에 대한 편견이 적다는 점도 크게 작용하고 있다.

반면에, 한국에서는 ABA 치료서비스를 민간에 맡겨 비싼 치료비를 부담할 수 있는 가정에만 치료의 기회가 주어진다. 또 ABA 치료서비스가 대중화되지 못해 의료보험 적용은 당분간 꿈도 꿀 수 없다. 장애인을 위한 교육 환경이 열악할 뿐만 아니라 장애인 시설을 혐오 시설로 간주할 정도로 사회적 인식도 한참 뒤쳐져 있다. 온갖 사회적 차별과 편견에 시달리면서도 제대로 된 치료서비스를 받지 못하기에 부모들은 한국에 머물 이유가 없는 것이다.

물론 이민 간다고 모든 문제가 해결되는 것은 아니다. 기회가 주어지는 만큼 치러야 할 대가도 적지 않다. 언어 손상으로 소통에 어려움을 겪는 아이가 새로운 언어를 배우는 것에서 어려움은 시작된다. 부모의 경우 한국에서 일군 안정적인 직장과 인간관계를 포기하고 낯선 타국에서 새로운 삶을 꾸려야 하는데, 이것 역시 만만치 않은 일이다.

이민 가정의 삶이 이렇게 고달프고 힘들다는 것을 알면서도 부모들이 이민을 선택하는 이유는 단 하나다. 자녀가 더 나은 치료와 교육을 받으며 회복되기를 간절히 바라기 때문이다. 따라서 국내의 열악한 치료와 교육을 개선해 부모들이 더는 자녀의 치료를 위해 고국을 등지는 일이 없도록 정부 차원의 대책 마련이 시급하다.

문재인 대통령은 2018년 9월 12일 청와대로 발달장애인을 초청해 '발달장애인 평생케어' 정책을 발표했다. 대통령이 발표한 정책에는 먼저 장애인을 위한 특수학교를 추가 설립하겠다는 내용이 포함되어 있다. 강서구의 서진학교 설립 과정에서 드러난 장애인 부모들과 지역 사회의 갈등은 특수학교 설립의 어려운 현실을 적나라하게 보여주었다. 특수학교를 혐오 시설로 바라보는 지역 이기주의 때문에 장애 아동은 교육받을 기본적인 권리조차 제대로 누릴 수 없었다는 점에서 특수학교를 늘려가겠다는 정부의 정책 발표는 중요한 의미가 있다.

두 번째로 문 대통령은 발달장애인의 평생 돌봄을 위한 제도적 장치를 마련하겠다고 했다. 오래전부터 장애인 단체들은 보호자가 없거나 돌봄이 어려운 중증 장애인을 폐쇄시설에 보내는 것을 반대했다. 보호자로부터 버림받거나 보호자가 없는 발달장애인을 폐쇄시설에 보낸 후 평생 시설에 머물게 하는 것을 심각한 인권 침해로 보았기 때문이다.

유럽에서는 이미 68혁명을 전후로 장애인 탈시설 운동이 활발하게 일어났다. 이탈리아, 스웨덴, 노르웨이 등의 나라에서 장애인 시설을 폐쇄하고 장애인들을 사회에 복귀시키는 운동이 활발하게 일어났다. 한국에서도 발달장애인의 탈시설이 이루어져야 한다는 목소리가 커지면서 대통령이 호응하는 답변을 내놓은 것이다.

대통령이 앞의 두 가지 현안을 해결해 발달장애인들의 삶의 질을 높이겠다는 정책적 비전은 높이 평가할 만하다. 그러나 발달장애인들과 가족들에게 가장 긴급한 현안인 자폐 치료서비스를 외면한 것은 아쉬움으로 남는다. 유아기에 ABA로 조기집중치료를 받으면 상당수 자폐 아동은 장애가 완화되어 특수학교에 진학하지 않고 일반학교에서 통합교육을 받을 수 있다. 치료서비스를 제공해 발달장애인들의 장애가 완화되면 일반학교에 진학하는 아이들이 늘어나 특수학교를 늘리지 않아도 충분히 아이들을 수용할 수 있다.

또 치료를 통해 장애가 완화되면 성인이 된 후 경제활동에 참여하는 자폐인의 비율도 점차 증가할 것이다. 장애인의 자립도가 높아지면 장애인활동지원 같은 돌봄 서비스의 수요가 감소해 사회적 비용도 서서히 줄여갈 수 있다. 부모들 역시 평생 자녀를 돌봐야 한다는 압박감에서 벗어나 점차 자유로운 삶을 영위할 수 있다.

자폐스펙트럼장애는 조기집중치료를 제공함으로 정책의 선순환이 가능하다. 발달장애인에게 치료서비스를 제공하지 않고 평생 장애에 갇혀 살게 하는 방식으로는 발달장애인과 그 가족이 겪는 근본적인 문제를 해결할 수 없다. 무엇보다 자녀의 치료를 위해 사랑하는 가족과 생이별하며 고국을 등지는 안타까운 상황이 반복된다. 정부가 이 모든 상황을 종합적으로 검토해 정교한 정책을 수립해야 할 시점이다.

11

학교에서 ABA를 하다

ABA베어스는 아이들이 가장 많은 시간을 보내는 생활현장에서 ABA 치료를 해야 한다는 치료 원칙을 갖고 있다. 일반화에 어려움을 겪는 자폐 아이는 가장 많은 시간을 보내는 생활공간에서 배워야 곧바로 배운 것을 활용할 수 있기 때문이다.

예를 들면, 센터에서 아이가 손 씻기를 배워도 집에서 손 씻기를 못 하는 경우가 있다. 배우는 공간과 가르치는 사람이 달라지면 자폐 아이들은 행동의 일관성을 유지하지 않는 경향이 있기 때문이다. 이처럼 센터에서 열심히 가르쳐도 실생활에서 적용하지 않으면 아무 소용이 없다. 이 같은 문제를 예방하기 위해서 아이가 가장 많은 시간을 보내는 집이나 학교에서 ABA 치료를 하는 것이다.

아이가 초등학교에 입학하면 가정뿐만 아니라 학교도 중요한 생활공간이 된다. 중학교와 고등학교로 교육과정이 이어지면서 학교생활이 차지하는 비중도 갈수록 늘어난다. 가족 중심의 인간관계가 친구 중심의 인간관계로 확장되면서 학교는 가정만큼 중요한 공간으로 자리매김한다. 자폐 아동 역시 갈수록 학교생활이 늘어나기 때문에 가정뿐만 아니라 학교에서도 ABA 치료를 병행해야 한다. 실제로 미국에서는 치료사가 아이와 함께 입실해 행동 중재를 하면서 아이의 학습을 돕는다. ABA 치료를 본격적으로 받게 된 시점에 초등학교에 입학하게 된 유원이도 치료사 입실이 중요한 과제로 떠올랐다.

치료사 입실, 반대에 부닥치다

입학 전 미리 학교를 방문해 특수교사와 면담할 기회가 있었다. 그때 나는 유원이가 집에서 ABA 집중치료를 받고 있다는 설명과 함께 입학 후 학교 수업에도 치료사가 동행할 수 있도록 협조를 요청했다. 유원이가 집에서 ABA 치료를 받는다는 사실을 알려주자 특수교사는 무척 반가워하며 나의 적극적인 치료를 높게 평가했다. 아이가 입학하면 치료사가 수업에 동행해 행동 중재를 할 수 있도록 학교장과 담임교사에게 건의하겠다고 약속했다. 특수교사의 태도에 크게 고무된 나는 치료사 입실이 수월하게 이뤄질 것으로 기대했다.

그러나 내 기대와 달리 특수교사는 입학 전 다른 학교로 옮겼고, 유원이 1학년 담임교사는 치료사 입실을 원치 않는다는 소식을 전해 왔다. 그 의지가 너무 확고해 설득이 쉽지 않을 것 같은 불길한 예감이 들었다. 여러 차례 학교를 방문해 거듭 부탁했지만, 학교 측은 치료사 입실이 어렵다는 답변만 되풀이했다. 이렇게 시작된 학교와의 갈등은 이후 7개월간 지속되었다.

나의 간곡한 부탁으로 학기 초에는 잠시 치료사가 수업에 참여해 아이의 행동을 관찰하도록 허락하기도 했다. 며칠 동안 치료사가 수업에 참여해 아이를 관찰했지만, 그 이후에는 다시 치료사 입실을 거부했다. 관찰 기간에도 교실 밖 복도에서 관찰하라는 교사의 요구에 어이가 없었다. 학교는 교사의 수업권을 내세워 외부인이 교사의 수업을 침해해서는 안 된다며 치료사 입실을 반대했다. 치료사의 행동 중재가 왜 교사의 수업권을 침해하는지, 어떤 부분이 문제가 되는지 물었지만 정확한 답변을 들을 수 없었다.

나는 특수교육법령과 장애인차별금지법을 근거로 치료사의 수업참여와 수업 중 행동 중재가 가능하다고 판단했다. 장애 아동이 수업에 보조 인력이나 보조 기구의 도움을 받을 수 있다고 명시한 〈장애인 등에 대한 특수교육법령〉 등을 인용해 치료사 입실의 정당성을 주장했다. 이를 근거로 치료사의 수업참여와 행동 중재를 허락해달라고 학교에 정식으로 공문을 보냈다. 처음에는 일방적으로 치료사의 수업참여를 거부하던 학교도 교육법령에 근거해 치료의 정당성을 주장하자 명확한 답변을 내놓지 못했다.

학교는 내가 보낸 공문을 상급기관인 교육부에 보내 유권해석을 요청했다. 교육부는 해당 사항을 국민신문고로 이첩했고, 국민신문고는 해당 업무를 관할하는 지역교육청으로 다시 전달해 답변을 내려보냈다. 지역교육청은 해당 공문의 경우 법령 해석이 필요하므로 임의로 의견을 제시하기 어렵다고 알려왔다. 또 해당 교육청은 법제처를 통해 법령의 유권해석을 받는 것이 좋겠다는 의견을 덧붙였다. 교육청의 권고에 따라 학교는 다시 법제처에 유권해석을 요청했다. 법제처는 해당 내용이 특수교육과 관련된 내용임을 인지하고 해당 사항을 다시 교육부로 이관했고, 돌고 돌아서 교육부가 최종 답변을 보내왔다.

교육부 특수교육정책과는 기본적으로 장애인에게 필요한 인력 지원 서비스를 제공할 수 있지만, 이때 지원 인력은 공인된 자격을 갖춘 자에 한한다는 특수교육법령의 내용을 인용했다. 다만 내가 요청한 치료사의 수업참여와 행동 중재에 대해서는 법적으로 규정된 바가 없으므로 개별화교육회의[21]를 통해서 협의와 판단이 이루어져야 한다는 원론적인 답변을 내놓았다.

결과적으로 교육부의 답변은 우리 가정과 학교의 갈등을 증폭시키는 결과를 가져왔다. 학교는 교육부가 사실상 나의 요구를 교육법령에 위배 된다고 판단한 것으로 결론지었다. 반면에, 나는 교육부가 학교의 입장을 일방적으로 지지한 것은 아니라고 판단했다. 교육부가 특수교육법령의 기본적인 원칙을 확인하면서도 해당 건에 관한 세부적인 시행은 개별화교육회의에서 상호협의해 진행하라고 했기 때문이다.

　교육부의 유권해석을 서로 다르게 받아들이면서 해결의 실마리를 찾지 못한 채 갈등이 계속되었다. 담임교사와 학교장을 상대로 설득도 하고 애원도 해 보았지만, 학교는 요지부동이었다. 학교와 갈등이 계속되면서 우리 가족이 겪는 스트레스와 피로도 적지 않았다. 나는 치료사 없이 아이가 단독으로 수업에 참여하는 것보다 집에서 ABA로 집중치료를 하는 것이 더 낫다고 판단했다. 그때부터 아이의 등교를 중단하고 가정치료에 집중했다.

　나의 선택에 학교도 부담을 느꼈는지 새로운 타협안을 제시했다. 담임교사도 마지못해 치료사 입실을 부분적으로 허락했다. 치료사가 주 3일 교실에 입실하고 하루 수업 중 절반은 치료사와 도움반에 내려가는 타협안을 제시했다. 그 제안을 받아들여 학교와 타협이 이루어졌지만, 이 약속도 오래가지 못했다. 방학을 앞두고 담임교사가 또 일방적으로 치료사 입실을 거부하면서 학교와의 갈등이 여름 방학 내내 이어졌다.

나는 교육법령을 자세히 살펴보았다. 〈장애인 등에 대한 특수교육법령〉으로는 세부적인 시행 지침을 알 수 없었다. 교육부가 발행한 〈장애인 등에 대한 특수교육법령 해설자료〉를 검토하기 시작했다. 한국은 아직 치료서비스가 정착되지 않아 특수교육법령에는 관련 내용이 포함되어 있지 않았다.

그렇지만 〈장애인 등에 대한 특수교육법령 해설자료〉에는 교육 전문가들이 ABA 치료의 필요성을 인정한 내용이 일부 포함되어 있음을 발견했다. 나는 자폐 아동에게는 치료사의 행동 중재가 필요하다는 해설자료 내용에 근거해 치료사의 수업참여와 행동 중재를 줄기차게 요구했다. 그러나 학교는 교사의 학습권이 침해될 수 있다는 점을 내세워 끝내 요구를 수용하지 않았다.

집에서는 아이가 성공 경험을 많이 할 수 있도록 부모나 치료사가 도움을 주다 점차 유원이 스스로 하도록 역할을 조절하고 있었다. 만약 아이 혼자 학교생활을 하면 아이는 학교에서 성공 경험보다는 실패와 좌절 경험을 더 많이 하게 된다. 학교에서도 어려운 과제는 치료사가 도움을 주다 점차 유원이 스스로 할 수 있도록 역할을 줄인다면 아이가 성공적으로 학교생활에 적응할 수 있었다. 그런데 이 같은 계획이 학교의 반대로 물거품이 될 위기에 처한 것이다.

학교에 대한 회의감이 몰려오면서 ABA로 홈스쿨링을 하는 방안을 진지하게 고민했다. 유원이 장애가 학습에 어려움이 없는 고기능 자폐였다면 바로 실행에 옮겼을 것이다. 그러나 지적 장애를 동반한 자폐가 있는 유원이가 혼자서 검정고시로 학력검증을 통과할 수 있을지 장담할 수 없었다. 생각이 여기에 미치자 자퇴를 주저하게 되었다.

차선책으로 대안학교로 전학하는 방안도 생각해 보았다. 그러나 일단 집 인근에 원하는 대안학교가 없었다. 멀리 떨어진 대안학교에 보내려면 등하교에 많은 시간과 에너지가 소모된다. 대안학교의 경우 결원이 발생해야 전학할 수 있는데, 한정 없이 기다릴 수도 없었다. 게다가 대안학교에서 치료사 입실을 허락해 줄지 알 수 없었다. 무엇보다 검정고시를 치른다는 점에서는 자퇴와 다른 점이 없었다.

아무리 생각해도 대안이 떠오르지 않았다. 치료와 교육을 병행하기 위해서는 결국 학교를 상대로 요구사항을 관철하는 것 외에 다른 대안이 없었다. 나는 다시 학교 측에 치료사의 입실을 강하게 요청했다. 이번에는 유급까지 각오하고 등교 거부에 돌입했다. 유원이는 학교에 가고 싶어 했지만, 아이의 미래가 걸린 문제라 싸움을 포기할 수 없었다. 등교 거부가 계속되자 학교에서는 독촉장을 보내 법적 책임을 묻겠다고 압박했다. 나는 흔들리지 않고 거듭해서 치료사 입실을 요구했다.

드디어 학교에서 ABA를 하다

남편은 교육부의 애매한 유권해석이 더 큰 갈등을 일으켰다고 판단해 교육부에 유권해석을 다시 해 달라고 요청했다. 자폐스펙트럼장애의 경우 전문가의 행동 중재가 필요하지만, 특수교육 교사의 행동 중재에 한계가 있음을 교육부도 인정하고 있었기 때문이다.

교육부 담당자는 자신들의 유권해석이 의도치 않은 결과를 가져온 것에 대해 사과했지만, 학교와의 중재에는 소극적이었다. 남편이 여러 차례 문제를 제기한 후에야 겨우 중재에 나섰다. 국민신문고에도 다시 이의를 신청했다. 국민신문고의 신고내용은 교육부를 거쳐 지역교육청으로 이관되었고, 공문을 받은 지역교육청이 이번에는 적극적으로 중재에 나섰다.

남편은 국가인권위원회에도 진정을 넣어 정식으로 조사를 요청했다. 국가인권위원회는 다소 소극적이었지만, 우리의 입장을 학교에 전달하고 학교가 우리 가정과 합의에 이를 수 있도록 노력해 주었다. 이런 노력이 합해져 다시 학교와 협의가 진행되었다. 그리고 얼마 지나지 않아 학교와 극적인 합의에 도달했다.

학교는 치료사 입실은 허용하겠다고 태도를 바꿨지만, 주 5일의 치료사 입실은 받아들이지 않았다. 주 3일만 치료사 입실을 허용한다는 입장을 끝까지 고수했다. 개인적으로 동의하기 어려웠지만, 아이를 위해서는 타협안을 받아들여야 했다. 대신 유원이는 치료사가 동행하지 않는 이틀 중 하루는 등교하지 않고 집에서 집중치료를 받았다. 나머지 하루만 치료사 없이 등교했다. 만족스러운 결과는 아니었으나 학교에서 ABA 치료를 시작한 것에 나름의 의미를 부여했다. 학교 안에서 ABA 치료의 길이 처음으로 열렸기 때문이다.

유원이는 학교 정문을 들어서는 순간부터 수업을 마치고 나올 때까지 모든 과정을 치료사와 함께했다. 치료사는 학교생활에서 유원이가 미숙하거나 어려워하는 부분을 도와주었다. 교실에 들어갈 때 실내화로 갈아 신고 신발을 보조 주머니에 넣고 신발장에 넣는 것을 지도했다. 교실에서 자기 자리를 찾아서 가방을 정리하는 것도 지도했다.

타인과의 상호작용이 미숙한 유원이가 친구에게 먼저 인사하고 말을 걸도록 유도해 주었다. 유원이에게 관심을 보이고 말을 걸어오는 친구에게는 무반응으로 대응하지 않고 적절하게 대답하도록 도움을 주었다. 수업 시간에는 옆자리에 앉아 유원이가 수업 내용을 이해하지 못하거나 수행하기 어려운 부분이 있으면 그림자처럼 조용히 도왔다.

한번은 유원이가 도움반에 갔다가 원반으로 돌아왔을 때 시간표가 바뀌어 반 아이들이 전부 교실을 비운 적이 있었다. 교실에 도착한 유원이는 친구들이 보이지 않자 당황해 울기 시작했다. 치료사 선생님은 예상치 못한 상황에 당황한 유원이에게 어떻게 대응해야 하는지 자세히 알려주었다. 덕분에 유원이는 도움반에 내려가 선생님께 도움을 요청하는 법, 친구들이 어디에 있는지 생각해 보고 찾아가는 법을 배웠다.

치료사는 급식 시간에 편식하지 않고 골고루 먹기, 교실 책상 정리 및 청소, 화장실 사용하기 등도 지도해 주었다. 체험활동도 치료사가 동행해 든든했다. 치료사는 유원이와 친구들 곁에서 조용히 함께하며 유원이가 친구들 사이에서 낙오되지 않고 함께 어울려 활동하도록 도왔다.

치료사는 유원이에게 준 촉진(도움)을 항상 기록하였고 매일 조금씩 촉진을 줄여나갔다. 도움을 준 과제는 최종적으로 유원이 스스로 할 수 있도록 했다. 유원이가 치료사만 의지하는 것을 방지하기 위해 조용히 그림자처럼 관찰하다가 도움이 필요한 때만 적절한 도움을 주었다. 학교생활에서 유원이가 어려워하는 것들은 과제를 선별하여 집에서 따로 가르치기도 했다.

학교와 갈등을 겪으면서 가장 아쉬웠던 것은 발달장애 아동이 학교에서 치료서비스를 받을 수 있는 제도적 장치가 마련되어 있지 않은 점이었다. 교육법령 안에 치료서비스를 보장하는 조항이 단 한 줄만 있었어도 서로 얼굴을 붉히는 극한 대치는 피할 수 있었을 것이다. 안타깝게도 〈장애인 등에 대한 특수교육법령〉은 발달장애 아동에게 더 좋은 교육을 제공하기 위한 보호막이 되지 못하고 있다.

제도적 허점 때문에 유원이 같은 피해가 발생하지 않도록 발달장애 아동에게 교육과 치료를 병행할 수 있는 법적 장치가 마련되어야 한다. 더 나아가 훈련된 치료사가 교실에서 자폐 아동을 돕는 치료서비스를 앞으로 정부가 직접 제공해야 한다.

이런 실질적인 지원 없이 발달장애 아동을 단순히 학교에 머무르게 하는 것은 자폐 아동에게 별로 도움이 되지 않는다. 자폐 아동을 위한 특수교육에는 반드시 교실 내 치료서비스가 포함되어야 한다.

교육과 치료는 함께 가야 한다

자폐 아동을 키운 부모들의 사례를 보면 아이가 학교에서 교과 활동 및 교우 관계를 성공적으로 해낸 경우를 거의 찾아보기 어렵다. 학교생활을 힘들어하던 아이가 오히려 학교를 탈출하고 나서야 안정을 되찾은 경우가 더 많다. 그렇다고 무작정 학교 교육을 포기할 수는 없다. 학교 안에서 간접적으로 다양한 사회생활을 경험할 수 있기 때문이다.

사회성이 부족한 자폐 아이는 학교에서 인간관계를 맺고, 다양한 경험과 학습을 통해 사회성을 키울 수 있다. 학교 프로그램이 자폐 아동에게 다양한 자극을 주고, 성장과 성숙의 토대를 제공한다면 그 자체로 학교는 매력적인 공동체이다. 문제는 자폐 아동이 가진 연약함 때문에 학교 교육의 장점을 충분히 누릴 수 없다는 것이다. 그런데도 현재의 학교 교육에서는 이 문제와 관련해 진지한 고민과 논의를 찾아볼 수 없다.

자폐 아동이 학령기에 들어서면 부모의 고민이 깊어진다. 우선 나이에 맞춰 입학시킬지 혹은 입학을 유예할지 선택의 갈림길에 서게 된다. 실제로 자폐 아이들은 1~2년 정도 입학을 유예하기도 한다. 입학을 유예하면 조금은 나은 상황에서 학교생활을 시작할 수 있다는 판단 때문이다. 그러나 입학을 늦춘다고 무조건 아이에게 좋은 것은 아니다. 입학을 미룬 기간 동안 아이의 기능이 향상되지 않으면 1년 후에도 상황이 별로 달라지지 않기 때문이다.

중학교에 비하면 초등학교는 그나마 나은 편이다. 중학교에 진학하면 상황이 좀 더 복잡해진다. 감정이 수시로 널뛰는 사춘기 청소년들에 둘러싸여 생활하는 자폐 청소년에게 학교는 더 이상 안전한 장소가 아니다. 비장애 청소년도 왕따를 당하기 일쑤인 학교에서 자폐 청소년이 겪는 고통은 더하면 더했지 결코 덜하지 않다. 자폐 청소년들이 사춘기를 보내면서 뇌전증 발병이 급증하는 것도 이와 무관하지 않다.

과목별 교사가 수업을 진행하는 일반 중학교에서는 반마다 배치된 자폐 학생을 모아 도움반에서 별도의 자기 수준에 맞는 과목별 수업을 진행하기 어렵다. 게다가 입학과 동시에 입시경쟁에 내몰리는 중·고등학교에서 자폐 청소년은 상급 학교에 진학할수록 학교생활과 학업이 버거울 수밖에 없다. 결과적으로 학교 교육이 아이를 더 불행하게 만들 뿐이다.

그렇다고 학교 교육을 포기할 수도 없다. 학교 교육을 포기하면 학력 취득의 기회가 사라진다. 잘하든 못하든 학교에 머물면 졸업장은 받지만, 치료를 명분으로 학교 교육을 포기하면 학력 취득이 어려워진다. 자폐 아동이 자력으로 검정고시를 통과하는 것은 하늘의 별 따기만큼 어렵기 때문이다. 결국, 학교 교육이 전혀 도움이 안 되는데도 졸업장 하나 얻겠다고 무의미하게 시간을 보내며 학교에 머물러야 한다. 그렇게 하면 학력은 취득하겠지만 아이는 아무 발전 없이 학교 과정을 마치게 된다.

부모의 두 번째 고민은 특수학교와 일반학교 도움반 중 어디에 보낼 것인가이다. 이 부분은 아이의 장애 정도와 밀접한 연관이 있다. 아이가 중증 장애로 일반학교 적응이 어려운 데도 부모가 욕심을 내서 보내는 경우가 있다. 반대로 특수학교에 보내고 싶지만, 지역에 특수학교가 없거나 정원에 밀려 눈물을 머금고 일반학교에 보내기도 한다. 아이의 개인적 수준에 따라 학교를 선택하는 게 바람직하지만, 어떤 선택을 해도 학교생활이 어려운 것은 마찬가지다.

일반학교에 진학하는 경우 아이의 문제행동으로 학급 친구들에게 피해가 발생해 학부모 민원이 발생기도 한다. 따라서 학교 선택은 부모의 욕심보다는 아이 수준에 맞게 객관적이고 냉철한 판단에 따라 이루어져야 한다. 특수학교의 정원 문제로 어려움을 겪는 지역의 아동을 위해서는 정부가 특수학교를 추가 설립하거나 정원을 늘리는 방안을 통해 문제를 해결해야 한다.

그러나 특수학교나 일반학교를 선택하는 것보다 더 중

요한 게 있다. 어느 학교에 다니든 치료와 교육을 병행하는 것이다. 학교 현장에서 치료서비스가 제공되지 않는데도 아이 수준에 맞는 학교 선택에만 초점을 맞추면 아동의 학교생활은 실패할 확률이 높다. 학교는 자폐 아동의 부족한 점을 채워줄 잠재력을 가진 공동체다. 그러나 자폐 아동이 학교 교육의 장점을 충분히 누릴 기본적인 발달기능을 갖추지 못한다면 학교가 가진 매력은 그림의 떡에 불과하다.

따라서 자폐 아동은 교육을 받기 위한 기본적인 발달기능을 발전시키는 것이 항상 최우선 과제가 되어야 한다. 아동의 발달기능이 향상되어야 학교 교육이 수월해지고, 친구들과 관계 맺기도 가능하기 때문이다.

지금처럼 교육 현장에서 ABA 같은 치료서비스 없이 교육만 진행하면 아동의 발전은 제한적일 수밖에 없다. 치료서비스가 빠진 학교 교육은 자폐 아동에게 효과적인 교육을 진행할 수 없다. 자폐 아동을 보여주기식 통합교육의 들러리로 만들 뿐이다. 자폐 아동은 유치원이든, 학교든, 어디에 머물든 교육과 함께 치료서비스를 받아야 한다. 부모가 치료를 거부하면 어쩔 수 없지만, 치료가 필요한 아이에게는 반드시 치료받을 기회와 치료받을 권리를 부여해야 한다. 이 정책이 선행되지 않으면 자폐 아동의 학교 교육은 성공하기 어렵다.

12

병원 진료 연습

성장 과정에서 자폐 아이가 겪는 어려움은 한둘이 아니다. 일반 아이가 자연스럽게 배우는 평범한 일상활동을 자폐 아이는 수없이 연습해야 실행할 수 있다. '언젠가 하겠지.'라는 막연한 생각으로 방관하면 아이는 배워야 할 적절한 시기를 놓치게 된다. 아이가 자라 몸집이 커지고 힘이 세지면 부모의 개입이 어려워 아이의 행동을 바꾸기가 점점 어려워진다. 잘못된 학습으로 굳어진 아이의 행동을 바꾸려면 이전보다 몇 배의 노력이 필요하다. 그러면 부모는 아이와 더불어 살아가는 과정이 훨씬 고달플 수밖에 없다.

약간의 트라우마를 겪은 후 아이 행동이 180도 바뀌기도 했다. 예를 들면, 어렸을 때 유원이는 길에서 애완견을 만나면 안아줄 정도로 좋아했다. 한동안 강아지를 사 달라고 조를 정도로 애착을 보이기도 했다. 이런 태도는 사소한 사건을 겪고 나더니 완전히 바뀌었다.

공원 산책 중 길에서 만난 강아지가 짖으며 달려든 적이 있다. 작은 강아지라 무서워할 상황이 아니었는데도, 그날 이후 작은 강아지가 다가오기만 해도 무서워하며 도망가기 바빴다. 좋아하던 강아지가 순식간에 공포의 대상으로 뒤바뀐 것이다.

물을 두려워하게 된 원인도 비슷하다. 유원이와 워터파크에 놀러 간 적이 있다. 워터파크에 입장한 지 얼마 안 되어 유원이는 놀이기구 위에서 쏟아지는 물 폭탄(?)을 뒤집어썼다. 이 일로 많이 놀란 아이는 외상 후 스트레스 장애를 겪는 사람처럼 한동안 수영장이나 분수대의 물만 봐도 두려워했다. 여름이면 아이들이 몰려가는 물놀이 시설이나 분수대 근처에는 아예 가려 하지 않았다.

일상생활에서 겪는 이런 문제를 그대로 두면 아이가 자랄수록 어려움이 한층 가중된다. 아이가 극복할 수 있도록 일찍부터 연습을 시켜야 한다.

유원이가 어렸을 때 가장 힘들어했던 것은 손발톱을 깎거나 머리 자르는 일이었다. 기계음이 청각을 자극해 공포를 유발하고, 날카로운 기계가 손발톱을 자를 때 두려움을 크게 느꼈다. 잘린 머리카락이 얼굴에 달라붙는 것도 감각이 예민한 자폐 아이에게는 불쾌한 경험이었을 것이다. 어쩔 수 없이 아이가 잠든 틈을 이용해 손발톱을 깎아주었다. 머리 자를 때는 그마저도 어려워 미용사가 머리를 자르는 동안 아이 머리를 억지로 붙잡고 있어야 했다.

손발톱이나 머리 자르는 일도 어려웠지만, 병원 진료는 훨씬 더 어려웠다. 유원이는 유난히 병원 진료를 힘들어했다. 진료실에 들어서는 순간부터 겁에 질린 아이는 의자에 앉으려 하지 않았다. 겨우 설득해 의자에 앉혀도 의료 장비를 코와 귀에 삽입하는 과정에서 다시 아이와 힘겨루기를 했다. 여섯 살까지는 병원 진료가 어렵지 않았다. 일곱 살이 되면서 병원 진료를 두려워하더니 나중에는 아예 통제가 안 될 정도로 거부감이 심했다.

아이를 설득하다 지친 의사는 진료를 포기하고 부모

설명에 의지해 처방전을 내주곤 했다. 감기처럼 간단한 질병은 이렇게라도 넘어갈 수 있었지만, 입원 치료가 필요한 경우에는 대책이 없었다. 주사 맞는 공포가 워낙 커서 링거를 맞추거나 접종할 때면 병원에서 한바탕 소동을 일으켰다. 어렸을 때는 완력으로 제압해 접종했지만, 학령기에 들어서자 힘이 세져 그마저도 어려웠다.

이처럼 일상생활에서 자폐 아동이 보이는 극한 두려움과 그로 인한 제어되지 않는 행동은 부모를 곤혹스럽게 한다. 100kg에 이르는 육중한 자폐 아들이 다리에 상처를 입고도 치료를 거부하는 바람에 무기력하게 아들을 바라보기만 하던 어머니를 본 적이 있다. 자기 몸에 상처가 생겼는데도 상처 치료가 두려운 아이는 끝내 치료를 거부했다. 병원에서 진료를 받거나 공공질서를 지키는 일처럼 일상생활에서 꼭 필요하지만, 자폐 아이의 성향이나 기능 문제로 실행이 어려운 일들이 있다. 이런 문제를 해결하기 위해서는 아이가 힘들어하는 상황에 조금씩 노출하는 방식으로 아이의 변화를 유도해야 한다. 어렸을 때부터 꾸준히 연습하면 아이는 두려움을 이겨낸다.

ABA 치료의 장점은 아이가 싫어하거나 무서워하는 일

을 단계적으로 세분화해 쉬운 단계부터 조금씩 과제를 수행하도록 돕는 것이다. 유원이도 무서워하거나 하기 싫은 일들을 조금씩 익숙해지도록 연습했다. 이런 노력을 통해 이제는 다양한 행동을 실행하게 되었다. 그중에서도 병원 진료를 능숙하게 받는 모습은 우리 부부에게 큰 감동을 주었다.

병원을 빌려 진료를 연습하다

유원이를 데리고 병원을 방문하는 일은 늘 고역이었다. 기관지가 약해 1년에 한두 번은 폐렴으로 입원 치료를 받았는데 병원 진료부터 입원에 이르는 과정이 그야말로 전쟁이었다. 입원 당일 우리 부부뿐만 아니라 여러 명의 간호사가 달라붙어 겨우 링거 바늘을 꽂았다. 한번은 유원이가 링거 주사를 놓던 간호사 팔을 물어 죄인처럼 사과를 반복한 적도 있다.

병원 진료 중에서도 가장 힘든 것은 치과 진료였다. 5~6세 때까지는 치과 진료를 무서워하지 않았다. 7세가 되면서 치과 진료를 무서워하기 시작했다. 충치가 생기면 수면 마취로 치료하면서 아이가 느끼는 두려움을 애써 외면했다. 초등학생이 되자 치과 진료를 더 무서워했고, 아이의 몸집이 커지면서 수면 마취를 더는 할 수 없었다.

초등학교 2학년 때 유원이는 학교에서 진행하는 치아 건강검진을 받아야 했다. 그전부터 여러 개의 치아에 충치가 있음을 짐작하고 있었지만, 아이가 치과 진료를 무서워해 선뜻 치과를 방문하지 못했다. 두려워하는 아이를 설득해 간신히 치과에 데리고 갔다. 진료를 거부하는 아이를 억지로 진료 의자에 앉혀 치아 검사를 해 보니 예상대로 충치가 여러 개 발견되었다. 어떻게든 치료해 보려 했으나 아이가 완강히 거부하는 바람에 치료하지 못했다.

치과 원장은 대학병원의 발달장애인 전담 치과에서 안전하게 치료받으라고 했다. 마침 그곳에 자기 지도교수가 있다며 연락해 예약을 잡아주고 추천서도 써 주었다. 본인의 병원에서 치료하지 못한 아이를 끝까지 책임지려는 태도가 무척 고마웠다. 반면에, 간단한 충치 치료를 위해 전신마취까지 해야 한다니 속이 상했다. 동네 치과에서 간단하게 치료받으면 될 일인데, 큰돈 들여 전신마취를 해야 한다니 기가 막혔다. 다른 선택지가 없어서 어쩔 수 없이 병원 예약을 했다.

전신마취를 하려면 치료 전에 각종 검사를 받아야 했다. 검사받으러 병원에 간 날은 유원이를 키운 이래로 가장 힘든 날이었다. 피검사를 위해 채혈실로 들어서는 순간부터 아이는 괴성을 지르며 몸부림치기 시작했다. 우리 부부의 힘만으로는 도저히 제어할 수 없어 병원 관계자들이 동원되었다. 남편과 나를 포함해 6명이 온몸을 붙잡은 후에야 겨우 채혈을 마칠 수 있었다. 채혈실 앞에서 대기하던 수십 명의 시선이 우리를 향하고 있어 고개조차 들 수 없었다. 검사 결과 이상 징후가 없어 전신마취 후 치료하기로 했다.

일주일 후 치료를 위해 다시 병원을 방문했다. 치료 전 잠시 머무는 대기실에 세 명의 자폐 아이들이 있었다. 유원이처럼 동네 치과에서는 치료가 어려워 대학병원 내에 있는 발달장애인 전담 치과를 방문한 아이들이었다. 장애 정도는 달랐으나 치료를 두려워하는 모습은 똑같았다. 대기실에는 의료 장비가 보이지 않아서 그런지 편안한 모습으로 머물렀다. 시간이 되어 수술실에 들어서자 유원이는 돌변했다. 소리치며 문밖으로 도망치려는 아이를 급히 수면 마취로 잠재우며 치료가 시작되었다. 전신 마취 후 약 1시간 동안 치료가 진행되었다. 치료를 마치고 마취가 깨지 않은 상태로 유원이는 병실로 돌아왔다. 아이를 보는 순간 맥이 풀렸다. 나도 힘들었지만, 아이가 너무 가엾게 느껴졌다. 충치 몇 개 치료하려고 이렇게 힘든 과정을 거쳐야 한다는 게 너무 억울했다.

도저히 안 되겠다 싶어 대책 마련에 들어갔다. 아이가 병원 진료나 치료를 거부하지 않고 받아들이도록 병원 연습으로 문제를 해결해 보기로 했다. 먼저 병원 섭외에 나섰다. 우리 가족이 이용하는 치과를 방문해 도움을 요청했다. 원장과 개인적인 친분은 없었지만, 우리 가족 모두에게 친숙한 곳이었다. 원장을 만나 사정을 이야기하고 진료실 사용을 부탁했더니 흔쾌히 허락해 주었다. 값비싼 의료 장비로 가득 찬 진료실을 자폐 아이를 위해 내주기가 쉽지 않았을 것이다. 그런데도 위험을 감수하고 진료실 사용을 허락해 주어서 무척 감사했다.

치과 연습은 주 1회 진료가 없는 점심시간에 이루어졌다. 진료실 기물이 파손되면 책임지겠다는 약속도 사전에 해 두었다. 병원 연습은 아이 치료 책임자인 슈퍼바이저가 주도해 진행했다. 병원 진료와 치료에 적응할 수 있도록 진료 및 치료 과정을 단계적으로 세분화해 병원 연습을 진행했다.

유원이는 병원 입구에 들어서는 것조차 두려워했기에 처음에는 병원 진료 대기실에 앉아 있는 것을 목표로 연습했다. 대기실 의자에 잘 앉게 된 다음에는 진료실 진찰 의자에 앉아 눕는 연습을 했다. 진찰 의자에 간신히 엉덩이만 들이밀던 아이가 나중에 의자에 눕는 것까지 성공하자 다양한 자극을 조금씩 노출했다.

의자에 눕힌 후 진짜 진료받는 것처럼 조명을 비추고, 얼굴 가림천을 얼굴에 덮는 연습도 했다. 입을 일정 시간 크게 벌리도록 하고, 치과에서 사용하는 다양한 기구도 치아에 대어 보았다. 처음에는 살짝 넣고 빼는 것만 성공해도 큰 강화를 주었다. 이후에는 바람이 나오는 기구와 침을 흡입하는 기구도 사용할 수 있었다.

병원 연습을 진행하는 동안 아이는 점차 병원에 가는 것을 무서워하지 않았다. 두 달 정도 치과 연습을 하자 치과 진료를 받을 수 있을 것 같았다. 아이 변화를 확인하기 위해 흔들리는 이가 빠지려는 때에 맞춰 치과 예약을 하고 진료를 받았다. 유원이는 조금 긴장했지만, 진료실 의자에 누워 입을 벌리고 이를 뽑을 때까지 잘 참았다. 이를 뽑은 후 지혈을 위해 솜을 입에 무는 것까지 유원이는 모든 과정을 완벽하게 해냈다. 이제 다른 치과에서 진료를 받아보기로 했다. 낯선 병원에서도 진료에 성공해야 일반화에 성공한 것으로 볼 수 있기 때문이다. 처음 방문한 치과 병원에서도 문제없이 진료를 잘 받았다. 진료와 치료를 받는 태도가 너무 좋아 치과 진료 연습을 종료했다.

치과 진료에 성공하자 곧바로 내과 진료 연습에 들어갔다. 이번에는 내과를 찾아가 진료실 사용을 부탁했다. 아이가 어릴 때부터 다닌 병원이어서 나와 아이 모두에게 익숙한 병원이었다. 원장을 만나 사정을 이야기하고 진료실 사용을 부탁했더니 적극적으로 호응해 주었다. 내과 연습도 주 1회 점심시간을 이용해 진행했다. 주사 맞는 것을 너무 무서워해 내과 진료 연습에는 주사 처치를 포함했다. 약국에서 주사기를 사서 진짜 주사를 놓는 것처럼 연습했다. 아이 시선을 다른 곳으로 유도한 후 이쑤시개처럼 겉이 뾰족한 물건으로 살짝 찌르거나 피부를 살짝 꼬집어 실제 주사 처치를 하는 느낌을 주었다.

치과 진료에 성공한 경험이 내과 진료 연습에 도움이 되었다. 내과 연습을 한 달 정도 하자 진료받는 태도가 좋아졌다. 이번에도 검증이 필요했다. 진료 시간에 내과를 방문해 진료를 받아봤다. 진료를 거부하는 태도는 찾아볼 수 없었다. 유원이는 의사의 지시에 따라 배를 보여주고, 입을 벌리고, 귀를 보여주는 등 의사의 지시에 잘 따르며 진료를 마쳤다.

한 달 후 독감 예방 접종을 위해 내과를 방문했다. 유원이는 주사 맞는 공포를 이겨내고 예방 접종도 잘 마쳤다. 치과 진료처럼 다른 내과를 방문해 진료를 받았는데, 낯선 병원에서도 진료를 잘 받았다. 그제야 마음이 놓였다. 몇 달 전만 해도 상상하기 어려운 일이었다. 병원 연습을 통해 변화된 아이의 모습이 놀라웠다.

병원 진료가 이렇게 쉽다니!

자폐 자녀를 둔 부모는 아이가 아픈 것보다 병원에서 진료받는 것이 더 힘들다. 치료가 급한데도 아이가 치료를 거부하면 부모로서는 속수무책이다. 다행히 유원이는 ABA 치료로 병원 진료의 두려움을 이겨냈고, 더 이상 병원 진료나 치료를 거부하지 않는다. 병원에서 애태우던 지난날을 생각하면 이런 변화가 꿈만 같다.

일상생활에서 자폐 아이에게 나타나는 문제행동은 운명적이고 결정론적인 것이 아니다. 아이가 보이는 문제행동은 중재를 통해 충분히 바꿀 수 있고, 아이의 변화를 통해 가족들 모두 편안하고 안정된 생활이 가능하다.

이 과정에서 반드시 기억할 것이 있다. ABA 치료가 효과적으로 이루어지기 위해서는 우리 이웃들의 협력이 꼭 필요하다는 사실이다. 유원이는 인심 좋은 병원 원장님들 덕분에 병원 진료가 쉬워졌고, 좋은 미용실 원장님 덕분에 이발이 수월해졌다. 우리 이웃들은 아이를 치료하거나 교육할 때 도움을 줄 수 있는 잠재적인 치료 협력자들이다.

낯선 사람에게 말을 거는 훈련을 시킨 적이 있는데, 맨 먼저 말을 건넨 사람이 아파트 경비 아저씨였다. 또 가게에서 물건을 사는 훈련을 시킬 때는 동네 슈퍼 사장님이 중요한 파트너였다. 아이 치료를 위해서는 이웃들의 협조가 필요하다. 부모들에게는 주변 이웃들을 치료의 협력자로 활용할 수 있는 지혜와 전략이 필요하다.

이웃과의 공존을 위한 치료

2021년 인천에 사는 한 남성이 청와대 국민청원에 아들을 지켜달라고 호소했다. 남성의 10살 아들은 자폐성 장애 1급으로 두 살 정도의 지능을 갖고 있었다. 집에서 소리 지르고 뛰는 아들의 행동으로 아파트 층간소음을 유발한 것이 문제의 발단이었다. 층간소음을 견디다 못한 이웃 주민들은 해당 가정에 강하게 항의했다. 그 과정에서 갈등이 불거지자 이웃들은 다소 과격한 비난을 쏟아냈다. 보호자의 주장에 따르면 이웃 주민들은 자폐 아들이 귀신들렸다고 말한 것으로 알려졌다.

아이 아버지도 처음에는 이웃 주민들의 고통을 덜어주기 위해 정신과에서 처방받은 수면제를 먹여 아이를 일찍 잠재우는 등 여러 가지 노력을 했다. 아버지의 노력에도 아이의 문제행동이 멈추지 않자 이웃 주민들은 인격 모독적인 발언에 이어 해당 가정의 이사까지 요구했다.

계속되는 이웃의 비난에 아이의 어머니는 우울증에 시달리다 극단적인 선택을 시도했다. 견디다 못한 아버지는 청와대 국민청원을 통해 도움을 요청했다. 아버지가 올린 사연은 같은 처지의 부모인 우리가 봐도 안타깝고 가슴 아픈 내용이었다.

아버지의 청원에 사람들은 어떻게 반응했을까? 기사에 달린 댓글을 보면 네티즌들의 의견은 엇갈렸다. 자폐 아동과 아버지의 상황을 이해하며 공감하는 의견도 있었지만, 장애인 가족이라도 이웃에게 피해를 주는 행위는 잘못이라는 의견도 많았다. 장애인이라도 이웃에게 피해를 준다면 공동주택에 사는 것을 재고해야 한다는 주장이었다. 이 사건은 우리 사회가 장애인을 얼마큼 이해하고 포용할 수 있는지 엿볼 기회를 주었다.

아직 갈 길이 멀지만, 우리 사회도 장애인을 배려하는 성숙한 시민의식이 어느 정도 형성되어 있다. 심지어 장애인들이 어려움을 겪는 경우 함께 목소리를 내며 문제를 해결하려는 사람들도 적지 않다. 반면에, 아무리 장애인이라도 타인에게 피해를 준다면 그건 참을 수 없다는 정서가 공존한다. 이런 이웃들의 반응이 장애인 가족에게는 실망스럽겠지만, 비장애인이 장애인을 배려하는 데도 한계가 있다는 냉혹한 현실을 인정할 수밖에 없다. 장애인이 이웃과 더불어 살아가기 위해서는 최소한 이웃에게 피해를 주어서는 안 된다는 주장에는 장애인도 최소한의 사회적 책임이 필요하다는 목소리가 담겨 있다.

2018년 발달장애 학생을 위해 설립된 서울인강학교(현, 서울도솔학교)에서 일어난 장애 학생 폭행 사건도 눈여겨볼 필요가 있다. 이 사건은 장애인 문제가 '장애인 대 비장애인' 문제일 뿐만 아니라 '장애인 대 장애인'의 문제가 될 수 있음을 보여주었다. 내부 제보자를 통해 드러난 학교의 실상은 충격적이었다.

발달장애 학생을 돕기 위해 배치된 사회복무요원이 장애 학생들을 보살피기는커녕 말을 듣지 않는다는 이유로 폭행과 폭언 등을 수시로 자행했다. 발달장애 학생을 무자비하게 폭행하는 사회복무요원의 동영상이 공개되면서 사회 여론이 들끓었다. 이 과정에서 발달장애 학생을 보호하고 책임져야 할 교사가 폭력을 방관했을 뿐만 아니라 내부 제보자를 배신자로 낙인찍었다. 장애인 단체들의 규탄성명이 쏟아졌고, 피해 학생의 학부모들이 학교 당국에 진상규명과 책임자 처벌을 요구하면서 학교는 교육부 감사를 앞두고 임시 폐교를 결정했다.

학교가 파행을 겪으면서 그 피해가 고스란히 장애 학생들과 학부모들에게 전가되자, 학부모들 사이에서 뜻밖의 목소리가 터져 나왔다. 사회복무요원이 행사한 폭력의 책임이 원인 제공을 한 발달장애 학생들에게 있다는 주장이었다. 사회복무요원의 폭행과 교사의 폭행 방조는 분명 잘못이지만, 폭력적인 학생을 제압하는 과정에서 불가피하게 폭력을 사용했다는 것이다.

일부 학부모들은 학교 내에서 발생한 폭력 사건의 책임이 폭력성을 가진 발달장애 학생들에게 있다고 주장했다. 장애인도 타인에게 피해를 주는 장애인과는 함께 생활할 수 없다는 안타까운 목소리였다.

물론 이 주장에 동의할 수 없다. 발달장애인이 폭력성을 보인다고 해서 폭력으로 대응한다는 것은 있을 수 없고, 있어서도 안 되는 일이다. 게다가 교사들은 사회복무요원들의 폭행이 수면 위로 드러나기 전부터 폭행을 훈육으로 인식해 일부러 눈을 감았다니 기가 찰 노릇이다.

　사실 이 문제는 자폐 아이들이 교육을 받을 수 있도록 기본적인 자세를 확립하는 것과 관련이 있다. 아이들이 교육을 받기 위해서는 지시 따르기나 기다리기 등 기본적인 자세가 먼저 확립되어야 한다. 이게 확립되지 않은 상황에서 직무교육도 제대로 받지 못한 비전문가들에게 발달장애 아이들을 맡겼으니 사고가 날 수밖에 없었다.

　따라서 앞으로 이런 문제가 발생하지 않도록 다양한 노력이 필요하다. 우선 특수학교에서 발달장애 아동을 돌보는 인력은 반드시 직무교육을 충분히 이수한 후에 배치해야 한다. 더 중요한 것은 아이들의 폭력성이 폭력이 불러왔다는 주장을 불식시키기 위해서라도 문제행동을 지속적으로 중재해야 한다.

폭력성이 있거나 관리가 어려운 자폐 아동은 어느 곳에서도 환영받지 못한다. 폭력성이 있는 아이는 치료실과 복지관 같은 돌봄 시설에서도 외면한다.

부모가 조금이라도 쉼을 얻기 위해서는 장애인활동지원사의 도움이 필요한데, 폭력성을 가진 아이는 장애인활동지원사를 구하기도 어렵다. 아이의 폭력성으로 외부 지원을 받을 수 없는 부모는 홀로 고통스럽게 양육을 감당해야 한다. 부모가 이 부담에서 벗어나려면 행동 중재를 통해 아이의 문제행동을 멈추게 하는 것 외에 다른 방법이 없다.

아무리 좋은 복지 서비스를 제공해도 자폐 아이의 발달기능이 회복되거나 문제행동이 사라지지 않으면 복지 서비스도 무용지물이 된다. 따라서 정부는 장애인활동지원 서비스 시간을 늘리고, 다양한 복지혜택을 제공하기 전에 우선 치료서비스를 제공해야 한다. 자폐 아동과 아동의 가족뿐만 아니라 이웃과의 공존을 위해서라도 자폐 치료는 반드시 선행되어야 한다.

13

ABA캥거루에 물어보세요

유원이를 단순히 치료실에만 맡기지 않고 집에서 직접
치료한 것은 신의 한 수였다. 부모가 집에서 아이를 직접
치료하는 것이 다른 치료보다 효과가 높다는 사실이 실
험 결과로 밝혀졌기 때문이다. 미국의 7개 대학 연구소가
참여해 개발한 '자폐 부모매개 행동치료'는 부모의 가정
치료가 자폐 아동의 문제행동을 줄이고 치료 효과를 높
인다는 사실을 입증했다.

24주 동안 부모교육을 받은 집단과 부모교육을 받은
후 직접 치료까지 진행한 집단을 대상으로 한 실험에서
단순히 부모교육만 받은 그룹보다 치료까지 진행한 부모
그룹에서 치료 효과가 높게 나타났다. 또 해당 실험은 센

터 치료보다 집에서 하는 치료가 더 효과적인 것으로 나타났다. 부모가 집에서 직접 치료하면 치료비 부담을 덜 수 있고, 시간과 공간의 제약을 받지 않아 수시로 치료할 수 있는 장점이 있다.[22]

도움을 요청할 곳이 없다

물론 가정치료를 한다고 해서 장점만 있는 것은 아니다. 부모가 하는 가정치료는 치러야 할 대가도 적지 않다. 가정치료는 부모의 전적인 희생과 헌신이 필요하며, 치료사로서의 역량을 갖추기 위해 배움과 치료를 반복해야 하는 힘든 작업이다. 또 가정치료는 자율적으로 이루어지기 때문에 부모의 일손이 바쁘거나 마음이 느슨해지면 치료에 소홀하기 쉽다.

우리도 가정치료를 시작하고 1년 정도는 치료 결과가 썩 좋지 않았다. ABA를 적용할 줄 몰라 서툴기도 했지만, 바쁜 일상에 쫓겨 치료가 우선순위에서 밀려나기 일쑤였다. 열심히 아이를 치료하고 싶었으나 다른 일들에 밀려 치료 시간을 확보하는 게 쉽지 않았다. 매일 예상치 못한 일을 맞닥뜨리면서 치료에 집중하기가 어려웠다.

또 센터 치료는 치료사에게 아이를 위탁하면 그만이지만, 가정치료는 부모가 치료사와 보호자 역할을 병행하기에 신경 써야 할 일이 많다. 아이 치료에 많은 시간과 노력이 들어가는 데다가 가사노동까지 병행하는 고단한 일상을 반복해야 한다. 무엇보다 가정치료에서 가장 아쉬운 점은 부모가 교육받을 곳이 거의 없다는 것이다. 시중에 나와 있는 책으로는 아이를 치료하는 방법을 익히는 데 한계가 있다. 아이를 제대로 치료하기 위해서는 전문적인 교육을 받아야 한다.

가정치료에서 부모가 겪는 또 다른 어려움은 전문가의 조언을 받을 수 없다는 점이다. ABA 치료는 치료 과정에서 매 순간 상황을 판단하고 대처하는 능력이 필요하다. 전문 치료사가 아닌 부모는 대처에 미숙할 수밖에 없다. 치료하면서도 제대로 하고 있는지 순간순간 의문이 들고, 예상치 못한 상황을 만나면 어떻게 대응할지 몰라 헤매게 된다. 따라서 어려움에 직면할 때마다 조언해 줄 전문가가 있어야 한다. 미국에서도 현장 치료사가 행동 중재에 실패하면 응용행동분석가가 적절하게 대응할 수 있도록 치료사를 코치한다. 그러나 부모가 직접 치료하는 경우에는 전문가의 도움을 받을 수 없다는 약점이 있다.

우리가 직접 만들자!

나는 ABA로 아이를 직접 치료하면서 아이의 변화 가능성을 확인했다. 유원이를 오랫동안 지켜본 지인들도 유원이의 변화를 보고 놀라워했다. 발달장애 아동을 키우는 부모들에게 나를 소개해주는 사람들도 있었다. 도움을 요청하는 부모들의 연락을 받을 때마다 ABA를 자세히 소개하면서 자녀를 직접 치료해 보라고 권하곤 했다. 내 설명을 들은 부모들은 ABA에 관심을 보이며 치료를 시도했지만, 치료를 지속하는 부모들은 거의 찾을 수 없었다. 얼마 못 가서 부모들은 치료를 중단했다.

그 이유를 곰곰이 생각해 보니 그럴 수밖에 없겠다는 생각이 들었다. ABA베이스의 도움을 받았던 나와 달리 도움을 받지 못하는 부모들은 치료가 어려울 수밖에 없다. 부모가 자녀를 치료하기 위해서는 배움의 시간이 필요한데, 체계적인 교육을 받지 못한 부모가 혼자서 ABA를 배우고 치료까지 하는 것은 힘든 일이었다. 전문가의 도움 없이 부모 홀로 자녀를 치료하기에는 한계가 있었다. 내가 밥 선생님의 지도를 받아 치료 역량을 키웠듯이 다른 부모들도 전문가의 도움이 필요했다. 이때부터 부모들을 도울 방법을 찾기 시작했다. 이런 고민 끝에 탄생한 것이 'ABA캥거루'이다.

2018년에 발달장애 자녀를 키우는 엄마들과 함께 '사회적 기업가 육성사업'에 지원했다. 사회적 기업가 육성사업은 혁신적인 아이디어를 가지고 사회문제를 해결하는 예비 사회적 기업가의 창업 활동을 지원하는 정부 사업이다. 나를 포함한 엄마들은 아이를 키우느라 정부 지원 사업에 어떻게 참여하는지, 사업계획서는 어떻게 써야 하는지 전혀 알지 못했다.

우리는 아이들을 재우고 밤마다 모여 서로 머리를 맞대고 어떻게 사업을 시작할지 아이디어를 모았다. 때로는 새벽까지 토론하며 사업계획서를 써 내려갔다. 지역에 있는 사회적 경제 지원센터에서 상담을 받기도 했는데, 우리가 꿈꾸는 사업 목표와 비전을 검증받는 기회가 되었다. 발달장애 부모들이 만든 사회적 협동조합을 방문해 단체를 만들어온 소중한 경험도 들었다.

어렵게 지원서를 작성하고 힘들게 프레젠테이션을 마

친 후 2018년도 사회적 기업가 육성사업에 합격했다. 1년 동안 정부 지원을 받아 홈페이지를 구축하고 교육 동영상을 제작하는 등 열심히 준비한 끝에 'ABA캥거루' 법인을 설립할 수 있었다. 아이를 치료하고 돌보느라 바쁜 시간을 쪼개어 틈틈이 준비한 끝에 얻은 결실이어서 법인 등록증을 받았을 때 무척 감격스러웠다.

부모들을 돕는 ABA캥거루

나는 ABA캥거루가 시간과 공간의 제약을 받지 않고 부모들이 쉽게 ABA를 배우는 통로가 되길 원했다. 그 방법을 모색하다 첫 번째 사업으로 협력 교육기관인 ABA베어스와 함께 유튜브 채널을 개설했다. 그리고 매주 토요일 오전마다 실시간으로 부모교육을 시작했다. 방송 중에 강의를 들으면서 궁금한 내용을 질문할 수 있도록 했고, 방송 후에는 방송 내용을 편집해 채널에 올려 언제 어디서든 반복해서 볼 수 있게 했다.

방송 진행은 전문적인 응용행동분석가들이 진행하고 있으며 영어 방송과 한국어 방송을 동시에 진행하고 있다. 실시간 영어 방송은 통역 서비스를 제공하고 있으며 편집 동영상에는 한글 자막을 추가해 올리고 있다. 방송을 영어로 진행하기 때문에 해외에서 방송을 듣는 구독자도 적지 않다.

유튜브 'ABA캥거루'에는 그동안 방송한 다양한 컨텐츠가 올라와 있다. ABA는 무엇인가, ABA의 행동 용어, ABA 기초프로그램, 언어발달을 위한 ABA 프로그램, 바람직한 행동을 증가시키는 방법 및 문제행동을 감소하는 방법, 부모들이 ABA를 하면서 흔히 저지르는 실수 등 ABA와 관련된 유용한 방송들을 볼 수 있다. 자폐 치료와 관련해 현재 170여개의 동영상이 올라와 있다.

유튜브 구독자들이 늘어나면서 가정에서 ABA 치료를 하는 부모들이 소통할 공간이 필요했다. 인터넷 카페와 블로그를 개설해 ABA로 자녀를 치료하려는 부모들과 앞서 자녀를 치료해 온 부모들 사이에 서로 도움을 주고받을 수 있도록 했다. 부모들은 카페에서 치료 동영상을 공유하고 궁금한 내용을 질문하면서 서로 도움을 주고받는다.

시간이 흐르면서 방송만으로는 부모들의 필요를 채우는 데 한계가 있다는 사실을 알게 되었다. 방송을 통해 ABA를 배우는 것으로는 직접 치료를 어려워하는 부모들이 많았다. 실질적으로 부모들을 도울 방법이 필요했고, 고민 끝에 시작하게 된 것이 온라인 컨설팅이다. 온라인 컨설팅은 자녀와 함께 ABA를 하는 영상을 찍은 후 응용 행동분석가와 함께 보면서 피드백을 받는 프로그램이다.

전문가의 조언을 통해 부모의 실수는 줄이고 아이의 반응을 해석하고 대처하는 치료방법을 배운다. 적절하고 구체적인 문제행동 중재 방법도 배운다. 온라인 컨설팅의 가장 큰 장점은 부모들이 ABA를 지속할 수 있도록 필요한 솔루션을 제공하는 것이다. 온라인 컨설팅은 온라인으로 진행하기 때문에 공간의 제약을 받지 않는다. 그래서 한국 부모들뿐만 아니라 해외의 부모들도 참여하고 있다.

처음 ABA 치료를 시작할 때는 아는 게 없어서 너무 답답했다. ABA에 눈을 뜬 후에는 내 아이 치료에 매달리느라 여유가 없었다. 그래서 도움을 요청하는 부모들을 도울 수 없어 늘 마음의 빚을 안고 있었다. 이제 ABA캥거루가 있어서 더는 미안해하지 않는다. ABA캥거루 방송을 활용하기만 해도 아이를 충분히 치료할 수 있기 때문이다. 또 궁금한 내용이 있으면 언제든지 ABA캥거루를 통해 전문가에게 물어볼 수 있다.

ABA캥거루는 집 인근에 센터가 없어서 치료받기 어려운 가정과 비싼 ABA 치료에 부담을 느끼는 가정을 위해 설립되었다. ABA캥거루 덕분에 부모들은 시간과 공간의 제약을 받지 않고 언제 어디서든 아이를 치료할 수 있게 되었다. ABA캥거루 방송을 보며 아이를 치료한다는 부모들을 만날 때마다 보람을 느낀다.

나도 아직은 아이를 치료하고 돌보는 엄마이기에 하루하루 전쟁을 치르듯 살아간다. 몸과 마음이 지쳐 너무 힘들 때면 모든 것을 내려놓고 싶은 유혹에 시달린다. 그러나 나보다 절박한 심정으로 아이 치료에 매달리고 있는 부모들을 생각하면 ABA캥거루 사업을 멈출 수가 없다. 자폐 자녀를 양육하는 부모들에게는 늘 도움의 손길이 필요하기 때문이다.

14

6년의 ABA 치료, 그리고 변화들

우리 가족에게 여행은 고난의 행군이었다. 낯선 환경에
쉽게 적응하지 못하는 유원이는 유독 여행지 숙소에 머
무는 것을 힘들어했다. 차를 타고 이동하거나 여행지를
둘러 볼 때는 비교적 잘 버텼지만, 여행을 마치고 숙소에
들어서면 상황이 달라졌다. 저녁을 먹고 난 후부터는 줄
곧 집에 가자고 졸랐다. 그 성화에 못 이겨 여행 일정을 마
치지 못하고 서둘러 집에 돌아온 적이 한두 번이 아니다.

초등학교 1학년을 마칠 즈음에 유원이 태도가 조금씩
변하기 시작했다. ABA 치료 덕분에 문제행동이 사라지면
서 여행 다니기가 한결 수월해졌다. 새로운 지역을 방문
하는 재미를 알게 되자, 먼저 여행을 가자고 제안할 정도
로 아이가 바뀌었다.

따스한 햇볕이 내리쬐는 봄날, 9살이 된 유강이를 데리고 오랜만에 가족 여행을 떠났다. 유원이는 여행을 떠나기 전부터 들떠 있었다. 그날 우리가 향한 곳은 순천의 대표적인 관광지 '순천만국가정원'이었다. 오후에 도착한 우리 가족은 차를 주차한 후 정문 매표소로 천천히 걸어갔다. 그때 갑자기 유원이가 물었다. "엄마, 지구가 어디예요?" 우리는 서로를 바라보다가 웃음을 터뜨렸고, 한동안 웃음이 멈추지 않았다.

그 순간 템플 그랜딘이 때로는 자신이 '화성의 인류학자가 된 것 같은 느낌'을 갖는다는 말이 떠올랐다. 혹시 유원이는 진짜 화성의 인류학자가 아닐까? 머나먼 화성에서 지구의 인간을 연구하기 위해 날아왔는데, 자신이 머무는 이곳이 '지구'라는 사실을 아직 모르는 게 아닐까? 재미있는 상상의 나래를 펼쳐본다.

사실 유원이는 언어 지연으로 어휘력이 부족해 그때까지 '지구'라는 단어의 의미를 정확히 모르고 있었다. 왜 갑자기 지구라는 단어를 떠올렸을까? 차로 이동하는 동안 라디오에서 들었을까? 아니면 길거리에 걸린 현수막에서 봤을까? 그 순간 왜 지구라는 단어를 떠올렸는지 알

순 없지만, 모르는 단어를 묻고 배우려는 태도가 무척이나 기특했다. 유원이의 발달은 느렸지만, 한순간도 멈추지 않고 성장해 왔다.

의사도 놀란 아이의 변화

늘 해맑게 웃는 유원이는 학교생활을 즐거워하고, 그중에서 특별히 학교급식을 좋아한다. 코로나19로 등교 횟수가 줄어든 것을 아쉬워하면서도 온라인으로 진행하는 비대면 수업을 나름대로 즐기는 편이었다. 틈만 나면 스마트폰 게임을 하고, TV와 유튜브 영상에 빠져 살지만, 좋아하는 책을 찾아 읽을 정도로 독서에도 관심을 보인다.

버스 타기를 좋아해 쉬는 날이면 엄마를 붙들고 놀러 가자고 조른다. 방문 장소가 정해지면 인터넷으로 사전 답사하는 치밀함도 보인다. 매일 저녁 규칙적으로 운동한 덕분에 대·소근육의 발달이 많이 향상되었고, 상동행동도 완전히 사라져 겉모습만 보면 자폐가 있다는 것을 눈치채기 어렵다.

이렇게 아이의 기능이 향상되고 있음에도 아이의 발달 기능을 자세히 살펴보면, 앞으로도 극복해야 할 과제가 적지 않다. 캐서린 모리스는《네 목소리를 들려줘》Let Me Hear Your Voice에서 자녀들이 완치 판정을 받은 후에도 아이들의 문제를 발견할 때마다 자폐가 남아 있다는 생각에 힘든 시간을 보내야 했다고 고백했다. 그녀의 고백은 자폐 치료에 최선을 다해 매달린 부모만이 느낄 수 있는 감정이다.

아이가 좋아지다가도 어느 순간 발전을 멈추거나 심지어 퇴행하는 것처럼 보일 때마다 부모는 힘이 빠진다. 마치 밑 빠진 독에 물 붓는 것처럼 그동안 쏟아부은 노력이 흔적도 없이 사라지는 것 같아 허무하게 느껴진다. 그러나 아이의 성장 과정을 장기간에 걸쳐 살펴하면 치료를 통해 아이가 발전한다는 사실은 부정하기 어렵다.

유원이는 또래 수준까지 발전하진 못했지만, 치료를 시작한 시점과 비교해 보면 6년 동안의 치료가 헛되지 않았음을 알 수 있다. 치료 전부터 주기적으로 받았던 발달 검사 결과는 유원이에게 의미 있는 변화가 있었음을 보여준다. 그뿐만 아니라 아이가 생활하는 모습에서도 실질적인 변화를 확인할 수 있다.

보통 소아정신과에서 진행하는 아동 발달검사는 기본

적으로 세 가지 검사 도구가 포함된다. 아동의 자폐 정도를 측정하는 '아동기 자폐 증상 평정척도'CARS, 아동의 지능을 측정하는 '한국 웩슬러 지능검사'K-WISC, 다양한 적응 행동 능력을 측정하는 '사회 성숙도 검사'SMS이다. 유원이는 2015년 생후 50개월에 한 발달검사에서 자폐 2급 판정을 받았다. 초기의 검사 결과를 보면 아동기 자폐 증상 평정척도CARS는 30점대 중반이었다. CARS는 30점 이상부터 자폐스펙트럼장애로 간주한다. 한국 웩슬러 유아 지능검사K-WPPSI는 지능IQ지수가 50점대로 매우 낮은 수준으로 평가되었다. 사회 성숙도 검사SMS에서는 사회연령(SA)이 33개월이었다.

가장 최근의 발달검사는 2021년 상반기에 했고, 이 검사에서 아이의 발달기능이 크게 향상된 것으로 나타났다. 아동기 자폐 증상 평정척도 점수는 20점대 중반으로 사실상 자폐 범주를 벗어난 것으로 나타났다. 한국 웩슬러 아동 지능검사K-WISC-V는 지능지수가 경계선 지능으로 향상되었다. 사회성숙도 검사의 사회 연령SA과 사회성 지수SQ도 두 배 가까이 향상되었다. 종합적인 검사 결과를 보면 장애 정도가 상당히 완화된 것을 알 수 있다.

발달검사를 진행한 의사는 유원이 변화를 무척 놀라워하며 자폐스펙트럼장애가 거의 보이지 않아 지적 장애로 봐도 무방하다고 했다.

공부는 못 해도 학교생활은 모범생

유원이는 태어날 때부터 언어 기능이 손상되어 언어 능력이 많이 뒤처졌다. 타인과의 소통이 원활하지 못했으며, 다른 자폐 아동들처럼 자기가 하고 싶은 말만 반복적으로 했다. 그동안 열심히 노력해 언어 능력이 많이 향상되었지만, 또래 아이들에 비하면 아직도 많이 부족하다. 표현언어보다 수용언어가 나은 편이라 학교 수업은 그럭저럭 따라가고 있다. 그러나 조금만 어려운 표현이 나와도 회피하려는 경향이 있다.

언어 능력을 키우려고 3학년 때부터 꾸준히 독서 훈련을 했다. 주 3~4회 도서관을 방문하고, 방문할 때마다 10여 권씩 책을 빌려 틈틈이 읽혔다. 자폐 아이들은 규칙적인 생활이 강박으로 작용해 문제행동을 일으키지만, 한번 시작하면 멈추지 않고 꾸준히 지속하는 장점으로도 작용한다. 보상을 통해 책읽기에 동기부여를 하자 독서 습관을 꾸준히 유지하고 있으며, 그 결과 작문 실력도 크게 향상되었다. 읽은 책의 권수가 쌓이는 만큼 언어 능력도 계속 향상되고 있다.

유강이는 학교생활도 완벽하게 적응했다. 보통 자폐 아동은 수업시간에 착석이 안 되고 수업에 집중하지 못하는 경향이 있지만, 유원이는 착석이 완벽하고 수업참여도 적극적인 편이다. 학력 수준은 과목별로 편차가 있지만, 일반 아이들에 비하면 1~2년 정도 뒤처져 있다. 심층적인 이해를 요구하는 국어를 어려워하고, 단순 계산이나 암기가 필요한 과목은 대체로 잘 따라가는 편이다.

학교생활에서 가장 기대했던 것은 학업 성취보다 사회성 훈련이었다. 2학년까지 치료사가 함께 입실해 반 친구들과 유원이 사이에 중재 역할을 해 주었다. 그러나 2020~21년에는 코로나19 여파로 등교가 제한되고, 외부인 출입을 엄격히 제한하면서 치료사가 학교에 동행할 수 없었다.

코로나19로 인한 사회적 거리두기는 학교에서 아이들의 친구 관계를 어렵게 했지만, 사회성 훈련이 필요한 자폐 아동에게는 훨씬 가혹하게 다가왔다. 친구들과 놀 수 있는 대면 모임이 사라지면서 유원이는 또래 관계에서 더 고립될 수밖에 없었다. 매주 토요일마다 친구를 초대해 사회성 훈련을 했는데, 코로나19로 이마저도 중단할 수밖에 없었다. 그나마 치료사 선생님들이 친구 역할을 해 주어 유원이는 외롭지 않게 생활할 수 있었다.

영화 마니아가 되다

유원이는 대부분의 일상생활에서 자조가 가능하다. 양치질, 머리 감기, 목욕을 혼자 할 수 있고, 목욕 후에 로션을 바르고, 옷장에서 옷을 꺼내 혼자 갈아입는다. 밥을 먹은 후에는 수저, 밥그릇, 국그릇은 직접 개수대에 가져다 두고, 엄마가 늦잠을 자면 아침에 혼자 일어나 콘플레이크로 아침 식사를 직접 해결하기도 한다.

열한 살이 되자 유원이가 먼저 태권도장과 스포츠 클라이밍 센터를 혼자 다니고 싶다고 했다. 태권도장은 집 앞이라 크게 걱정하지 않지만, 스포츠 클라이밍 센터는 거리가 멀어서 조금 염려가 되었다. 걱정 반 기대 반으로 혼자 다니게 했는데, 나의 염려가 무색할 정도로 유원이는 혼자서 센터를 잘 다녔다. 혼자 다니기 시작할 무렵에 핸드폰을 사 주었다. 핸드폰으로 이동과정을 알리게 해 걱정을 덜었다. 덕분에 등하교도 혼자서 할 수 있게 되었다.

유원이는 어려서부터 공연장에 가는 것을 몹시 싫어했다. 공연장의 어두운 분위기를 싫어했고, 영화나 음악회의 경우 청각을 강하게 자극하는 소리를 견디기 어려워했다. 공연이나 연주회를 관람할 때도 끝까지 보지 못하고 중간에 나올 때가 다반사였다. 극장에서 영화 보는 것을 무서워해 중간에 뛰쳐나가기도 했다. TV로 애니메이션을 즐겨 보면서 점차 극장에서 애니메이션 보는 것을 좋아하게 되었다. 그때부터 극장의 어두운 분위기를 무서워하지 않았다. 연극이나 뮤지컬 공연 관람도 처음에는 힘들어했지만, 연습을 거듭하면서 점차 익숙해졌다. 초등학교 2학년 이후로는 어떤 공연이든 공연예절을 지키며 관람하는 안정적인 모습을 보여주고 있다.

유원이는 운동에서도 괄목할 만한 성장을 보여주었다. 처음에는 아주 간단한 운동도 하지 못할 정도로 대·소근육이 취약했다. 초등학교 3학년 때까지 음료수 뚜껑이나 캔 뚜껑을 따지 못할 정도로 소근육이 약했다. 운동 기능이 취약한 것을 알고 난 후부터 다양한 운동을 시켰다. 꾸준한 연습 덕분에 지금은 많은 운동을 할 수 있게 되었고. 운동 실력도 크게 향상되었다. 지금은 여유 시간에 자전거나 인라인을 타러 가자고 할 정도로 운동을 즐긴다. 2년 정도 스포츠 클라이밍을 했더니 대·소근육도 상당히 강화되었다.

어렸을 때는 미술을 가르치려고 여러 번 시도했지만, 성공하지 못했다. 재능도 부족했지만 언어치료를 처음 시작할 때처럼 배움을 위한 기본적인 자세가 확립되지 않은 것이 문제였다. 이후 미술치료도 받았으나 오래 버티지 못한 채 중간에 포기하고 말았다. 지금도 잘 그리지는 못하지만, 무언가를 설명할 때는 직접 그림을 그려서 보여줄 정도로 간단한 그림은 그린다. 음악은 미술보다 관심이 적어서 한번도 가르친 적이 없다. 치료사 선생님들이 기본적인 피아노 음계를 가르쳐 주었고, 현재는 일주일에 한 번씩 피아노 레슨을 받고 있다. 늦게 시작했지만 잘 적응해서 조금씩 실력을 키우고 있다.

부모와 치료사가 협력해 매일 아이 치료에 매달려도 아이의 발달기능을 발전시키는 일은 생각보다 어렵다. 나도 아이를 직접 치료하면서 자폐스펙트럼장애가 얼마나 힘든 장애인지 매일 뼈저리게 느끼곤 했다. 애쓴 만큼 좋은 결과를 얻지 못하면 극심한 절망에 빠지기도 했다.

그런데도 유원이는 묵묵히 치료에 임하면서 자기 한계를 극복해 왔다. 물론 아이의 발달기능이 조금 향상되었다고 해서 무조건 좋아하기는 이르다. 아이의 기능이 향상되는 만큼 새로 도전해야 할 과제들이 기다리고 있기 때문이다. 아이가 어렸을 때는 문제행동 때문에 힘들었는데, 문제행동이 사라지고 난 후에는 언어와 인지가 새로운 과제로 다가왔다. 열심히 노력해도 아이가 넘어서야 할 장애물이 끝없이 밀려온다.

어느덧 사춘기에 다가서면서 유원이가 직면하게 될 미래를 내다보며 이제 새로운 계획을 세워야 한다. 아이가 성적 호기심에 눈을 뜨면 성교육은 어떻게 해야 할까? 일반 청년도 버거운 취업과 이성 교제 같은 문제는 어떻게 준비시켜야 할까? 우리 부부가 아이를 도와줄 능력이 서서히 사라질 때 아이는 과연 홀로서기를 할 수 있을까?

현재의 유원이를 보면 이것저것 걱정이 앞서지만, 미리 겁을 먹고 포기하고 싶지는 않다. 더 힘든 상황에서도 유원이는 자신의 한계를 넘어서며 지금까지 발전해 왔기 때문이다. 앞으로도 유원이의 도전은 멈추지 않을 것이다. 부모가 아이를 향해 내민 치료의 손길을 거두지 않는다면 아이 역시 부모의 기대를 버리지 않고 계속해서 성장할 것이다.

7년 후에 유원이는 장애 재심사를 받는다. 그때 유원이가 어떤 모습으로 변해 있을지 벌써 기대된다. 수능을 앞두고 대학입학을 고민하는 평범한 청년의 모습을 기대해 본다.

특별한 아이에서 평범한 아이로

2020년 코로가19 유행이 시작되면서 사람들은 악몽 같은 시간을 보내야 했다. 코로나19 바이러스가 전 세계를 덮치면서 비대면 활동과 사회적 거리두기로 사람들의 일상생활도 완전히 바뀌었다. 마스크를 벗은 모습이 낯설게 느껴질 정도로 마스크는 생활필수품으로 자리 잡았다. 코로나19 대유행으로 사회적 거리두기 단계가 상승할 때마다 경제적 직격탄을 맞은 소상공인들은 추락을 거듭하면서 공황상태에 빠져들었다. 손님이 발길을 멈춘 동네 점포들은 눈물을 머금고 가게 문을 닫아야 했다.

학교를 포함한 각종 교육기관과 돌봄시설도 줄줄이 문을 닫았다. 학교 수업을 비대면으로 전환하면서 학부모들과 아이들 모두 새로운 교육 방식에 적응하느라 진땀을 뺐다. 바뀐 수업방식보다 아이들을 더 고통스럽게 한 것은 친구들과의 단절이었다. 어른들이 경제적 한파로 생존을 위한 싸움에 매달리는 동안 아이들은 친구들과 단절된 채 집에 고립되었다.

경제적 피해가 소상공인에게 집중되었다면, 생활현장에서는 사회적 취약 계층의 고통이 컸다. 얄밉게도 코로나19는 취약 계층에게 더 큰 희생을 요구했다. 외출이 자유롭지 못한 상황에서 쪽방이나 집단 시설에 갇혀 사랑의 온기를 느낄 수 없던 사람들에게 코로나19는 재앙에 가까웠다. 그 와중에 누구보다 고통스러운 시간을 보낸 것은 발달장애인과 그 가족이었다. 반복적으로 들려오는 발달장애인 가족의 자살 소식은 코로나19가 그들을 얼마나 고통스럽게 했는지 알려주는 생생한 증거였다.

코로나19가 전국적으로 확산하자 학교뿐만 아니라 치료실과 복지관마저 문을 걸어 잠갔다. 발달장애인은 하루아침에 갈 곳이 사라졌고, 복지관이나 치료실에 자녀를 맡기고 잠시 한숨을 돌리던 부모들의 쉼도 사라졌다. 24시간 발달장애 자녀들과 부대끼게 된 부모의 고충이 한층 커졌다. 외부활동을 멈추자, 스트레스에 시달리던 발달장애인들의 퇴행도 증가했다. 꾸준한 활동과 치료로 개선된 기능이 퇴행을 겪으며 치료 이전으로 되돌아간 것이다.

게다가 발달장애인은 기본적으로 분노, 자해, 폭력 등의 문제행동을 보이는 경우가 많다. 아이가 어릴 때는 부모가 제어할 수 있지만, 아이의 몸집이 커지고 힘도 세지면 부모는 갈수록 힘에 부칠 수밖에 없다. 24시간 자녀와 붙어있어야 하는 보호자가 받는 스트레스와 고통은 상상을 초월한다. 무엇보다 이들이 겪는 고통은 일시적인 것이 아니라 죽을 때까지 멈추지 않는 고통이다.

자폐 아이를 키우는 우리 가정도 예외는 아니다. 다른 장애인 부모처럼 우리 부부도 장애가 있는 아들에게 인생을 저당 잡힌 것처럼 살고 있다. 억지로 살아내야 하는 그 과정이 너무 힘들어 때로는 도망치고 싶을 때도 적지 않았다. 그러나 해맑게 웃는 아이의 모습을 보는 순간 원망과 불평은 사라지고, 어떻게든 아이의 미래를 지켜야 한다는 사명감으로 충만해졌다. 순수한 아이가 세상에서 짓밟히지 않고 멋진 인생을 살아내도록 도와야 했다. 결국, 남겨진 선택지는 하나밖에 없었다. 아이의 장애에 순응하는 대신 장애와 맞서 싸우는 것이었다. 나는 두려워하지 않고 그 길을 선택했다.

아이가 좋아질 거라는 희망이 없었다면 힘든 양육과 치료의 시간을 이겨내지 못했을 것이다. 몇 번의 위기가 있었지만, 나는 아이 치료를 포기하지 않았다. 당장 눈에 띄는 변화가 없어도 반드시 아이가 좋아질 거라 믿었기 때문이다. 아이가 완전히 회복될 수 없을지라도 우리 사회에서 독립적인 인격체로 살아갈 수 있다고 믿었다. 이 믿음이 아이 치료를 멈추지 않고 지속할 수 있는 원동력이 되었다.

특별한 아이를 평범한 아이로 키우기

어쩐 일인지 내 주변에는 자폐 치료가 가능하다고 믿는 사람이 거의 없었다. 유원이가 초등학교에 입학했을 때 수업에 치료사가 동행할 수 있게 해 달라고 학교에 요청했었다. 미국처럼 우리나라도 학교에서 ABA 치료를 병행해야 아이가 발전할 수 있다고 믿었기 때문이다. 이 문제로 긴 시간 동안 학교와 갈등을 빚었다.

그때 장애인 단체와 공공기관에 도움을 요청했으나 그들 중 누구도 내 목소리에 귀를 기울이지 않았다. 오히려 내 요구가 지나치다며 아이의 장애를 인정하지 않는다고 했다. 그들은 이렇게 말했다. "아이 회복을 위해 우리도 노력을 안 한 게 아니에요. 우리도 아이 회복을 위해 온갖 시도를 다 해봤으나 소용이 없었어요. 그만 아이 장애를 인정하고 받아들이세요." 그들의 말에는 비관적인 전망과 체념이 녹아있었다. 사람들은 아이를 치료하려는 나의 노력을 무모한 도전으로 간주했다.

반대로 방송이나 언론은 뛰어난 재능을 가진 고기능 자폐인만 보여주었다. 약한 듯하면서도 비상한 능력을 소유한 고기능 자폐인은 강한 임팩트를 불러오기 때문이었다. 그러나 고기능 자폐인은 전체 발달장애인 중 극소수에 불과하다. 우리 사회가 특별한 재능을 가진 자폐인만 주목하면 자폐 자녀를 양육하는 부모들에게 부정적인 영향을 미친다. 부모가 아이의 뛰어난 재능에만 주목해 아이의 균형 잡힌 성장을 외면하기 때문이다.

자폐 아이는 뛰어난 재능을 강화하기보다 균형 잡힌 성장에 초점을 맞추어야 한다. 뛰어난 재능에만 주목하면 발전해야 할 다른 기능들이 멈추거나 퇴행할 수 있기 때문이다. 실제로 미술이나 음악에서 뛰어난 능력을 발휘하는 데도 정작 혼자서는 옷을 갈아입거나 마트에서 간단한 물건 하나 사지 못하는 자폐인들이 많다. 이렇게 불균형한 성장을 하면 개인의 자립은 불가능하다.

자폐 아동은 몰입도가 높아 특정 분야에서 뛰어난 재능을 보이기도 한다. 이때 부모는 냉정하게 아이 행동을 관찰하면서 강점보다는 약점을 보완해 주어야 한다. 긴 안목으로 아이 인생을 내다보며 아이가 자립할 수 있도록 다양한 역량을 키워주어야 한다. 자폐인은 특정 분야에서 전문성을 갖추는 것보다 독립적인 생활 능력이 중요하다.

일반인처럼 마트에서 쇼핑하고, 은행을 이용하고, 스스로 식사를 준비하고, 대중교통을 이용해 원하는 곳을 다닐 수 있어야 한다. 만약 아이가 하지 못하는 일을 자폐 탓으로 돌리며 시도조차 하지 않으면 아이의 미래는 가로막힌다. 자폐스펙트럼장애는 변화 가능한 장애이고, 지속적인 치료와 교육을 통해 아이는 충분히 자기 한계를 넘어설 수 있다.

유원이가 특정 분야에서 탁월한 재능을 발휘했다면 나도 그 재능에 눈이 멀어 종합적인 치료 계획을 세우지 못했을 것이다. 다행히(?) 유원이는 관심을 끌 만큼 뛰어난 재능이 없었다. 유원이는 전반적으로 발달이 뒤처진 전형적인 자폐스펙트럼장애가 있는 아이였다. 덕분에 나는 냉철하게 아이의 미래를 내다보며 종합적인 치료 계획을 세울 수 있었다.

유원이가 공부를 못해도 일반 아이처럼 생활할 수 있으면 그것으로 충분하다고 생각했다. 아니, 그것이야말로 아이가 도달할 수 있는 최고의 자리라고 생각했다. 나는 아이의 특별한 재능을 발굴하는 대신 아이가 평범한 삶을 살아갈 수 있도록 치료에 매진했다.

유원이에게 일어난 최고의 기적

지금 유원이는 다른 자폐 아동에게서 나타나는 문제행동이 거의 사라졌다. 어려서부터 문제행동을 줄이고 대체행동을 가르치기 위해 열심히 치료받은 결과이다. 덕분에 우리 가족은 여느 가족처럼 평안한 여행을 즐기게 되었다.

유원이가 초등학교 3학년이던 가을에 강원도로 가족여행을 갔었다. 숙소 인근에 있던 케이블카를 타고 산 정상에 올라 산책을 했는데, 그 시간이 너무 평화로웠다. 그때 남편에게 이런 고백을 했었다. "아이와 함께 하는 여행이 이렇게 행복할 줄 몰랐어!" 아이의 문제행동을 계속 중재하고, 부족한 발달기능을 회복할 수 있도록 치료와 교육에 집중했기에 가능한 일이었다.

대중매체는 자폐인이 가진 뛰어난 재능에 주로 관심을 보인다. 그러나 대중매체가 보여주는 자폐인의 천재성보다 더 놀라운 일은 따로 있다. 자폐인이 수학, 음악, 미술 등에서 천재성을 발휘하는 것보다 주변 사람들과 소통하며 살아가는 것이 더 놀라운 일이다. 타인의 도움 없이 자립해 살아가는 것이 자폐인에게 일어날 수 있는 최고의 기적이다. 따라서 자폐 아이의 뛰어난 재능에 무조건 환호하는 대신 아이가 다양한 발달기능을 발전시켜 독립적으로 살아가도록 준비시켜야 한다.

나 역시 유원이의 기능이 완전히 회복되지 않아도 독립적으로 살 수 있다면 더는 바랄 것이 없다. 유원이가 특별한 아이에서 평범한 아이로 성장하는 것이 나와 남편의 가장 큰 바람이기 때문이다. 유원이는 부모의 간절한 바람을 외면하지 않고 힘겨운 치료를 견디며 많은 변화를 보여주었다. 아이가 평범한 일상을 회복해 가는 모습이 내게 너무나 큰 기쁨을 주었다. 미래에 아이와 누릴 행복한 일상을 꿈꾸며 나는 오늘도 미래를 향해 다시 새로운 발걸음을 내딛는다.

전문가 인터뷰 - 응용행동분석가 공은지 선생님

아이를 포기하지 않는 것이 중요합니다

응용행동분석가인 공은지 선생님은 2017년 말부터 유원이 ABA 치료의 슈퍼바이저를 맡고 있다. 세 살 때 가족과 함께 미국으로 건너간 재미교포 1.5세로 UC 버클리에서 심리학을 전공한 후 CSULB에서 석사과정을 마쳤고, UCLA에서 응용행동분석을 공부했다. UC 버클리 재학 중 한국을 더 알고 싶어 교환학생으로 연세대에 1년간 머물기도 했다.

한국어와 영어에 능통해 ABA베어스가 한국 부모교육을 시작한 초창기부터 통역 업무를 맡아 일했으며, 한국의 자폐 아이들을 돕기 위해 한국 근무를 자원했다. 2017년 9월 한국 ABA베어스 설립 책임자로 파견받아 현재까지 치료 책임자로 일하고 있다.

공은지 선생님의 탁월한 능력과 헌신적인 수고로 유원이는 자폐성 장애를 상당 부분 극복할 수 있었다. 유원이 치료를 직접 진행한 전문가로서 느낀 점과 ABA 치료 전반의 견해를 듣기 위해 인터뷰를 진행했다.

특별한 계기는 없었어요. UC 버클리를 졸업한 후 어려운 사람들을 돕고 싶었지만 어떻게 해야 할지 방법을 몰랐어요. 대학원 진학과 취업을 두고 진로를 고민하는 중에 우연히 ABA베어스 채용 공고를 보고 지원했어요. 처음에는 발달장애 아동을 가르치는 일을 잘할 수 있을지 염려가 되었어요. 막상 시작해 보니 자폐 아이를 치료하는 일은 생각보다 멋진 일이었어요. 그러나 일을 하는 동안 꼭 제가 아니어도 할 사람이 많다는 생각이 들어 1년 넘게 일하고 대학원에 진학해 심리연구학 석사과정을 밟게 되었어요.

그렇게 다른 길을 갈 줄 알았는데, 대학원 재학 중에 ABA베어스로부터 뜻밖의 연락을 받았어요. 한국 부모들에게 ABA 교육을 하게 되었다며 통역을 맡아달라고 했어요. 그때 제가 맡겠다고 흔쾌히 수락해 다시 ABA베어스에 합류하게 되었어요. 이 일을 계기로 본격적인 ABA 치료사의 길로 들어서게 되었구요. ABA베어스는 선택을 앞둔 상황에서 쉬운 선택보다는 옳은 선택을 해야 한다는 철학을 갖고 있었어요. ABA베어스가 추구하는 가치관이 제가 ABA 치료를 직업으로 선택하는 데 결정적인 영향을 끼친 것 같아요.

247

한국 부모들님과 자폐 아동들을 돕게 된 것은 우연한 기
회로 시작되었어요. 앞서 말한 것처럼 ABA베어스에서 치료사로
일하다 그만둔 후 대학원에 다닐 때 제임스 대표가 연락해 도와
달라고 했어요. 당시 미국 ABA베어스는 한국 부모님들의 요청
을 받고 화상으로 ABA 교육을 해 주기로 약속한 상황이었어요.
미국의 응용행동분석가들이 한국 부모님들을 교육할 때 통역해
줄 사람이 필요했어요. 저는 한국어와 영어 모두 가능했고, ABA
치료사로 활동한 경험도 있어서 적임자로 생각한 거 같아요.

그때는 한국의 상황을 잘 몰라 왜 한국 부모님들이 미국
에 있는 회사에 연락해 도움을 요청하는지 의아하게 생각했어
요. 부모교육 시간에 부모님들의 이야기를 들으며 그 이유를 알
게 되었고, 열악한 치료 환경에도 불구하고 자녀를 위해 밤낮으
로 애쓰는 부모님들을 어떻게든 돕고 싶었어요.

제가 통역하면서 들었던 가슴 아픈 사연 하나가 잊히지 않
아요. 한 어머니가 결혼을 앞둔 여동생 문제로 상담을 요청했어

요. 조카가 자폐가 있다는 사실을 시댁에 알려야 하는 상황에서 어떻게 하면 좋을지 물어보면서 우시는 거예요. 동생도 자폐 아이를 낳을 수 있다고 시댁 식구들이 생각할까 봐 염려가 되었나 봐요. 자폐 아이를 키우는 한국 부모님들이 생각보다 힘든 시간을 보낸다는 것을 알게 되었고, 그들에게 희망을 주고 싶었어요. 장애인을 대하는 한국사회의 인식을 바꾸는 일에도 도움이 되고 싶었고요.

혼자서 생각만 하고 있을 때 ABA베어스의 제임스 대표님과 슈퍼바이저인 밥 선생님이 길을 열어주셨어요. 두 분이 없었다면 한국에 오는 일은 꿈도 꾸지 못했을 거예요. 두 분은 한국의 자폐 아동에게 직접 치료서비스를 제공하겠다는 강한 의지가 있었고, 제가 돕는다면 그분들의 꿈이 더 빨리 성취될 수 있겠다는 생각이 들었어요. 한국의 모든 자폐 아동에게 치료서비스를 제공하지는 못하더라도, 저의 섬김으로 소수의 자폐 아동과 그 가정들의 삶이 바뀔 수 있다면 충분히 의미 있는 일이라고 생각했어요. 결국, 제가 가려던 길을 포기하고 한국행을 결심하게 되었습니다.

제 나름의 꿈을 안고 2017년에 한국에 왔어요. 처음에는 혼자 클리닉을 시작할 수밖에 없었지만, 지내고 보니 혼자가 아니었어요. 한국 어머니들이 낯선 환경에 적응할 수 있도록 적극적으로 도와주셨고, 치료사 트레이닝도 함께 해 주셔서 단기간에 ABA 직접 치료 프로그램을 안착시킬 수 있었어요. 치료사들도 빠르게 성장해 점차 전문성을 갖추게 되었고요. 또 문제 해결을 위해 함께 머리를 맞대고 고민하는 열정적인 치료사들 덕분에 4년 이상 안정적인 치료서비스를 제공할 수 있었어요.

한국에서 ABA 치료를 진행하면서 힘든 점은 무엇이었고, 반대로 보람을 느끼는 일은 무엇이었나요?

무엇보다 치료서비스가 중단될까 봐 염려를 많이 했어요. 한국에서는 ABA 치료사가 낯선 직업이라 치료사 채용이 쉽지 않았어요. 채용 후에는 트레이닝을 받은 치료사가 제 역할을 하지 못할까 봐 늘 걱정이었고요. 저와 관련해서는 리더로서 충분한 역량을 발휘해야 한다는 압박감이 늘 따라다녔어요. 말할 때 실수하면 안 되고, 아이들 프로그램을 제대로 짜야 하고, 부모님들의 고민과 어려움도 충분히 이해해야 한다는 강박 같은 게 있었어요. 이런 문제들은 정답이 있는 것이 아니라서 제게는 늘 어려웠습니다.

일하면서 가장 보람을 느끼는 것은 아이들의 성장을 확인할 때입니다. 노력한 만큼 아이들이 성장하는 모습을 보면 지난 시간 쏟아부은 수고가 헛되지 않음을 알게 되어 보람을 느낍니다. 치료사들이 ABA베어스가 추구하는 비전에 공감하며 치료에 임하는 것도 제게는 큰 기쁨이었어요. ABA베어스는 오직 아이 회복을 중심에 두고 모든 치료 가능성을 탐구하고 실천하고 있어요. 치료사들이 같은 마음으로 치료에 최선을 다하는 모습도 제게는 늘 감동이었어요.

가령, 치료사들이 아이에게 다양한 강화를 주기 위해 장난감 같은 강화물을 준비해 오는 경우가 있어요. 퇴근 후에 아이 문제로 고민하다 연락해 이것저것 묻기도 하고요. 때로는 아이에게 문제행동이 나타나면 책임 치료사가 퇴근도 미루고 아이 가정으로 달려오기도 합니다. 이런 치료사들의 수고와 희생이 제게 얼마나 큰 힘이 되는지 모릅니다.

미국과 달리 한국은 정부 차원에서 ABA 치료서비스를 제공하지 않습니다. 반면에 사설 치료센터의 ABA 치료비가 너무 비싸 일반 가정에서는 치료받기 어려운 상황입니다. 이런 상황 때문에 한국의 부모들은 직접 ABA를 배워서 치료를 진행할 수밖에 없는 불가피한 경우가 많습니다. 부모가 아이 치료를 직접 진행할 늘 아이 곁에서 함께 생활하는 부모는 누구보다 아이를 잘 안다는 것이 가장 큰 장점이에요. 아이를 잘 아는 부모가 아이의 행동에 일관되게 대처하고 가르친다면 치료 효과가 클 수밖에 없어요. ABA는 아동이 좋아하는 것, 싫어하는 것, 잘하는 것, 어려워하는 것을 파악해 치료를 시도하므로 아이와 함께 생활하는 부모가 ABA를 배워 직접 치료하는 것은 아이 치료에 많은 도움이 됩니다. 또 부모가 아이를 치료하는 시간도 중요하지만, 치료 외 시간도 의미 있는 시간으로 만들어 줄 수 있는 장점이 있어요. 아이와 함께 보내는 모든 시간을 아이가 발전할 기회로 활용할 수 있습니다.

반면에, 부모가 자녀를 치료하는 것은 생각보다 힘든 일입니다. 솔직히 저는 결혼을 안 해서 자녀를 키우는 부모의 마음을 완전히 이해하지 못합니다. 특히 자폐 자녀를 둔 부모 마음은 더욱더 알기 어렵고요. 다만 아이를 직접 치료하는 부모님들을 곁에서 지켜보면서 그 과정이 얼마나 힘들지 알 수 있었어요. 그중에서도 한국 부모님들은 아이 회복을 위해서 어떤 희생도 감수하려 한다는 점에서 정말 대단한 것 같아요. 한국 부모님들은 보기만 해도 존경스러워요. 당장은 무척 힘들지만, 포기하지 않고 치료하다 보면 아이가 분명히 달라질 거예요. 그런 희망을 안고 치료에 임했으면 좋겠어요.

부모들은 ABA 치료를 하면서도 정말 효과가 있는지, 확실히 아이가 회복될 수 있는지 궁금해합니다. 물론 아이의 장애 정도와 치료 시기 등이 치료에 영향을 미치기에 획일적으로 판단하기는 어려울 겁니다. 선생님은 ABA 치료가 충분히 가치 있다고 생각하는지, 있다면 그 이유는 무엇인지 말씀해 주십시오.

저는 어떤 사안에 대해 무조건 믿기 보다는 끊임없이 의심하는 편이에요. 현재 ABA 치료를 하고 있지만, ABA 치료가 정말 최선인지, 좀 더 나은 치료는 없는지 늘 의심합니다. 아마 저의 의심과 고민은 앞으로도 계속될 것 같습니다. 그렇지만 지금까지의 경험을 토대로 말씀드리면 ABA베어스에서 배운 ABA 치료만큼 자폐 아이에게 효과적인 치료를 본 적이 없어요.

ABA베어스가 추구하는 ABA는 매뉴얼처럼 정해진 규칙에 따라 진행하는 ABA가 아니에요. 모든 행동 원리를 이용해 개별 아동의 환경, 행동, 상태 등을 파악한 후 아이에게 적합하고 효과적인 방법을 찾는 방식이에요. 예를 들어, 아동에게 가르친 기능을 습득했는지 확인할 때 보통 열 번의 정반응이 나오면 다음 단계로 넘어가라는 매뉴얼이 있어요. ABA베어스는 각 아동의 배우는 속도, 도움의 양과 질, 개별 아동이 가지고 있는 학습 기능 등을 모두 고려한 뒤 팀의 협의를 거쳐 판단해요. 그 결과 어떤 아동은 세 번의 정반응이 나오면 다음 학습 단계로 넘어가고, 어떤 아동은 삼일 연속 정반응이 나오면 다음 단계로 넘어가요. 작은 차이라고 생각할 수 있지만, 아이를 계속 관찰하며 아이의 개별적 특성에 맞춰 ABA를 해야 효과적인 치료를 끌어낼 수 있어요.

개인적으로 ABA가 가장 좋은 치료라고 생각하지만, 전문가들이 아직 해결해야 할 숙제가 많다고 생각해요. 모든 발달장애 아동이 사회에 적응하고 독립적인 삶을 살 수 있을 때까지 우리는 더 효과적인 방법을 찾기 위해 계속해서 노력해야 합니다.

2016년 ABA베어스에서 부모교육을 할 때 통역을 담당하면서 처음 유원이를 만났고, 이후 2017년 한국에 들어와 현재까지 유원이의 슈퍼바이저로 치료를 돕고 있습니다. 오랫동안 유원이의 치료 과정을 지켜보셨는데 그동안 유원이에게 어떤 변화가 있었는지 말씀해 주십시오.

제가 처음 유원이를 만났을 때와 비교해 보면 정말 많은 변화가 있었습니다. 유원이는 자기가 원하는 방식대로 상황이 흘러가지 않으면 문제행동을 일으킬 때가 많았어요. 예를 들면, 다른 사람이 자기보다 어떤 일을 빨리하면 참지 못하고 감정이 폭발했어요. 장난감을 원하는 위치에 놓지 않거나, 전화벨이 울리는데 아무도 받지 않거나, 원래 하던 방식으로 행동을 취하지 않으면, 울고, 소리 지르고, 물건을 던지고, 심지어 사람을 때리고 할퀴기까지 했어요. 하지만 자기가 세운 규칙이 하나둘씩 깨지고 강박에서 벗어나면서 다른 사람과 다른 세상이 눈에 들어오기 시작했어요. 자기 세계에서 나와 다른 사람에게 관심을 보이는 태도 변화가 무척 자랑스러워요.

유원이 변화 중 가장 보기 좋은 것은 점점 자신감이 넘치는 모습이에요. 유원이가 유치원에 다닐 때 교실을 방문해 관찰한 적이 있어요. 특수반에 있을 때는 친구에게 말도 걸고, 장난도 치는 활발한 모습이었는데, 통합반에 올라가면 완전히 다른 아이로 바뀌었어요. 아이들 주변을 맴돌며 눈치만 보고 아이들과 상호작용도 전혀 하지 않았어요. 유원이 어머님 의견도 제가 관찰한 것과 같았어요. 유원이가 자기와 비슷한 사람 앞에서는 자신감을 보이지만 일반 사람들 앞에서는 눈치를 본다고 했어요.

그러나 지금은 통합반에서 손을 들고 의견을 말할 정도로 자신감이 넘치는 모습을 종종 보여주고 있어요. 때로는 발표할 것처럼 손을 들어 장난치는 모습이 부적절하게 보일 수도 있지만 자기 행동에 아이들이 반응하는 것을 뿌듯해하는 것도 저는 보기 좋았어요. 유원이는 이미 멋진 아이가 되었지만, 지금처럼 치료사와 부모가 함께 계속 노력한다면 미래가 더 기대되는 아이입니다.

유원이가 ABA 치료로 많이 성장했지만, 부모로서는 조금 일찍 집중치료를 받았다면 더 나아지지 않았을까 하는 아쉬움이 있습니다. 앞으로 유원이는 어떤 노력을 계속해 나가야 할까요?

과거의 상황을 가정해 결과를 추측하는 것은 좋은 시도가 아닌 것 같아요. 일반적인 연구 결과는 아이가 조기집중치료를 하면 치료 효과가 크다는 것을 보여주고 있어요. 그러나 반드시 그런 것은 아닙니다. 2~3세에 조기집중치료를 받았지만 계속해서 발달이 늦은 아이를 봤고, 7~8세에 집중치료를 받아서 자폐성 장애를 극복한 아이도 봤어요. 아이들의 다양한 사례를 보면 우리가 자폐를 완전히 이해했다고 보기는 어렵고, 우리가 풀어야 할 숙제들이 여전히 많은 것 같아요.

저는 유원이가 더 빨리 치료를 했다면, 현재 어떻게 되었을지는 말해 줄 수 없어요. 그러나 앞으로도 충실하게 치료와 교육을 계속한다면 유원이의 잠재된 능력을 최대한 끌어내 장애 때문에 자기 꿈을 포기하는 일은 없을 거라고 확실히 말할 수 있어요. 아이에게 장애가 있든 없든 10년 혹은 20년 후에 아이가 성장 과정에서 어떤 일을 겪을지는 아무도 알 수 없어요. 다만 아이를 향한 치료와 교육이 멈추지 않는다면 아이는 충분히 의미 있는 성장을 보여줄 겁니다.

자폐 아이를 키우면서 겪었던 가장 큰 어려움은 아이의 문제행동이었습니다. ABA베어스는 문제행동을 개선하고 바람직한 대체행동을 가르치는 것을 중요하게 여겼고, 이 부분이 유원이에게 많은 도움이 되었습니다. 그런데 최근 신경 다양성(뉴로트라이브) 운동에서는 문제행동 중재를 아동의 인권 침해로 보는 경향이 있고, 한국에서는 잘못된 정보가 유통되면서 ABA를 부정적으로 생각하는 사람들이 적지 않습니다. ABA를 오해하지 않도록 문제행동 중재가 필요한 이유에 대해 말씀해 주십시오.

제가 신경 다양성 운동은 잘 모르기 때문에 그 운동의 방향성이 옳다 그르다 말하는 것은 적절하지 않은 것 같아요. 그러나 문제행동 중재가 아동의 인권을 침해한다는 말은 동의하기 어렵습니다. 만약 일반 아동이 다른 사람을 때렸을 때, 아이를 훈육하는 것을 인권 침해라고 말하는 사람은 없을 거예요. 아이마다 이해력에 차이가 있기에 옳고 그름을 이해하기 어려워하는 아이도 있을 거예요. 하지만 아이가 옳고 그름을 이해할 수 없다는 이유로 그 두 가지를 가르치는 것까지 포기해서는 안 됩니다. 아이에게 맞는 도구를 찾아서 계속해서 가르쳐 주어야 합니다.

신경 다양성 운동은 문제행동을 중재하는 자체를 인권 침해로 보기보다는 발달장애 아동의 '다름'을 '문제'로 인식해 '다름'을 없애려는 시도를 인권 침해로 간주한다는 생각이 듭니다. 이 세상에 다양한 사람이 있는 것처럼 자폐인도 생각하는 방식이 다른 사람이지 문제가 있는 사람은 아니라는 주장을 하는 것 같아요. 저도 자폐 아동이 일반 아이와 달라서 문제라고 생각하지 않고, 자폐 아동이 일반 아이와 달라서 치료받아야 한다고 생각하지 않아요. 자폐 아동이 치료받아야 하는 이유는 다른 사람과 어울려 살 수 있을 뿐만 아니라 자율적이고 독립적인 삶을 통해 행복하게 살기 위한 것입니다.

미국에서는 학교에서도 ABA 치료서비스를 제공하지만, 한국에서는 기대하기 어려운 것이 현실입니다. 유원이가 초등학교 입학 직후 치료사가 교실에 입실하는 문제로 많은 어려움이 있었고, 그때 문제를 해결하기 위해 애써 주신 것을 무척 감사하게 생각하고 있습니다. 선생님이 한국의 학교에 들어가면서 느낀 점과 앞으로 학교에서 치료사 입실과 행동 중재를 위해 필요한 선행과제가 무엇인지 말씀해 주십시오.

학교에 치료사를 들여보내기 위해 학교 관계자와 여러 번 만남을 가졌었어요. 대부분 좋은 분들이었지만, 그분들은 하나같이 "제도적 장치가 없어서 해 줄 수 있는 게 없다"라고 말씀하셨어요. 그 말이 제게는 "우리는 그 일에 책임지고 싶지 않다"라는 의미로 들렸어요. 자폐 자녀를 키우는 부모님의 부담을 함께 나누며 도우려는 사람이 학교 현장에 많지 않은 것 같아 정말 안타까웠어요.

새로운 시도를 했다가 문제가 생기면 책임져야 하는 책임자로서는 선뜻 수용하기 어려웠을 것 같아요. 기존의 정해진 틀을 깨는 것이 얼마나 어려운지, 기존 관습에 익숙한 사람이 새로운 제도를 받아들이기가 얼마나 어려운지 온몸으로 느끼는 시간이었어요.

반면, 아이 치료 책임을 맡은 저로서는 어떻게든 치료사 입실을 관철해야 해서 무척 힘들었어요. 그 과정에서 학교와 갈등이 계속되었고, 부모님들과 갈등을 빚기도 했어요. 그러나 갈등이 두려워 도전하지 않으면 아이가 발전할 기회가 사라지므로 도전해야 했고, 앞으로도 비슷한 도전은 계속될 것 같아요. 제가 한국 상황을 잘 몰라서 이 문제를 해결하기 위해 어떤 과정을 거쳐 제도적 장치를 마련해야 하는지는 말씀드리기 어려울 것 같아요. 그렇지만 아이가 발전할 수 있도록 함께 책임을 나누려는 사람들, 자폐 아동이 더 좋은 교육 환경에서 교육받을 수 있도록 두려워하지 않고 변화를 시도하는 사람들이 많이 나왔으면 좋겠습니다.

ABA 치료는 많은 시간과 에너지가 들어가지만, 치료 효과가 단기간에 나타나지 않아서 부모로서는 치료 과정이 너무나 힘들게 느껴집니다. 한국에서는 조기집중치료를 받기 어려워 치료 효과를 크게 기대하기 어려운 부분도 있습니다. 그렇다고 치료를 포기할 수도 없는 것이 부모들이 처한 상황입니다. 이제 막 자폐 진단을 받은 아이를 키우는 부모들이 어떻게 ABA 치료를 시작하면 좋을지 조언 부탁드립니다.

우선 부모님들이 아이를 포기하지 않는 것이 중요합니다. "아이는 자폐스펙트럼장애 때문에 아무것도 못 한다."라는 말을 믿으면 안 돼요. 앞으로 아이가 얼마큼 발전하고 성장할지는 아무도 모릅니다. 일반 아이를 키우는 부모가 최선을 다해 아이를 양육하는 것처럼, 자폐 아이도 똑같이 부모가 최선을 다해서 키운다고 생각하면 돼요. 최선을 다한다는 것이 모든 것을 제쳐 두고 아이에게만 몰두하라는 의미는 아니에요. 거기에는 부모의 쉼과 행복도 포함하고 있어요. 중요한 것은 아이의 미래를 한정 짓지 않고 미리 포기하지 않는 거예요.

치료 과정이 어렵고 힘든 길이기 때문에 함께 할 수 있는 사람을 찾는 것도 중요합니다. 혼자 하면 쉽게 지칠 수 있으므로 의견을 나누며 서로 도움을 주고받을 수 있는 사람과 함께 해야 합니다. 그 사람이 배우자일 수도 있고, 친구일 수도 있고, 자폐 자녀를 둔 부모일 수도 있어요. 그 사람이 누구든지 함께 해야 계속할 힘을 공급받을 수 있어요.

아이가 자폐 진단을 받았다면, 부모님이 ABA를 공부하면서 아이에게 쉬운 것부터 하나씩 가르쳐보시면 좋겠어요. 아이가 하나하나 배우는 모습을 보면 희망이 생기고, 부모가 포기하지 않으면 아이가 성장한다는 확신이 들 거예요. 그러나 치료는 혼자 하기에 너무 힘든 과정입니다. 곁에서 함께 도울 사람이 있어야 치료를 지속할 수 있습니다.

주

1 올리버 색슨, 이은선 역, 『화성의 인류학자』(바다출판사, 2015), 365.

2 존 도반/캐런 저커, 강병철역, 『자폐의 거의 모든 역사』(꿈꿀자유, 2021), 127-128.

3 존 도반/캐런 저커, 강병철역, 『자폐의 거의 모든 역사』(꿈꿀자유, 2021), 136.

4 존 도반/캐런 저커, 강병철역, 『자폐의 거의 모든 역사』(꿈꿀자유, 2021), 146.

5 Ami Klin, "A new way to diagnose autism"(TED), https://www.youtube.com/watch?v=JcJ3MfJNm6g

6 존 도반/캐런 저커, 강병철역, 『자폐의 거의 모든 역사』(꿈꿀자유, 2021), 435-441. 스피브 실버만, 강병철 역, 『뉴로트라이브』(알마, 2018), 541.

7 존 도반/캐런 저커, 강병철 역, 『자폐의 거의 모든 역사』(꿈꿀자유, 2021), 624-625.

8 존 도반/캐런 저커, 강병철 역, 『자폐의 거의 모든 역사』(꿈꿀자유, 2021), 625-631.

9 '홍역 백신이 자폐증 유발? 괴담이었다', 『조선일보』 2019년 3월 9일, 인터넷판

10 DTT에 관한 자세한 내용은 유튜브 'ABA캥거루'에서 강의 동영상을 참조하라.
Bob Chen, "불연속 개별시도 수업(1)", https://www.youtube.com/watch?v=2bmvyxWCmok "불연속 개별시도 수업(2)", https://www.youtube.com/watch?v=TK9yxPBg594

11 존 도반/캐런 저커, 강병철 역, 『자폐의 거의 모든 역사』(꿈꿀자유, 2021), 343

12 존 도반/캐런 저커, 강병철 역, 『자폐의 거의 모든 역사』(꿈꿀자유,

2021), 344

13 스피브 실버만, 강병철 역, 『뉴로트라이브』(알마, 2018), 423~430.

14 줄리 A. 버클리, 서경란 역, 『자폐증의 해독치료』, (시그마프레스, 2016), 74-83.

15 줄리 A. 버클리, 서경란 역, 『자폐증의 해독치료』, (시그마프레스, 2016), 167.

16 줄리 A. 버클리, 서경란 역, 『자폐증의 해독치료』, (시그마프레스, 2016), 177-182

17 NCT와 관련된 내용은 유튜브 'ABA캥거루'의 강의 동영상을 참조하라. Bob Chen, NCT 교수법(1): https://www.youtube.com/watch?v=IMzb7HENoig NCT 교수법(2): https://www.youtube.com/watch?v=kJyLDrY4ZQs&t=317s

18 힘을 주어 누르면 모양이 변형되는 아이들의 장난감으로 손으로 주무르며 스트레스를 해소한다고 해서 '스트레스볼'로 불린다.

19 색깔이 들어간 고무찰흙으로 아이들의 소근육을 강화하기 위해 만들어진 제품으로 색깔에 따라 찰흙의 강도가 각각 다르다.

20 특수교육대상자의 교육적 필요를 학교생활에 반영하기 위한 교육개별화교육회의는 매 학기 초에 진행된다. 개별화교육회의를 위해서는 먼저 담임교사, 특수교사, 학부모가 참여하는 개별화교육지원팀을 구성하고, 개별화교육지원팀의 회의를 통해 아이에게 적합한 교육계획을 수립한다.

21 Lawrence Scahill, Karen Bearss, Luc Lecavalier, Tristram Smith, Naomi Swiezy, Michael G. Aman, Denis G. Sukhodolsky, Courtney McCracken, Noha Minshawi, Kylan Turner, Lynne Levato, Celine Saulnier, James Dziura, Cynthia Johnson, "Effect of Parent Training on Adaptive Behavior in Children With Autism Spectrum Disorder and Disruptive Behavior: Results of a Randomized Trial," *JOURNAL OF THE AMERICAN ACADEMY OF CHILD & ADOLESCENT PSYCHIATRY,* 55(2011), 606-607.

특별한 아이에서 평범한 아이로

초판 1쇄 발행 2022년 7월 10일

지은이 권현정 · 이은창
펴낸이 권현정
책임편집 박세경
디자인 위수연
번역 박유진
펴낸곳 캥거루북스
출판등록 2021년 9월 2일(제2021-000131호)
주소 경기도 파주시 회동길 145 아시아출판문화정보센터 2층 위드업센터
전화 031.943.0839
팩스 0303.0100.1103
이메일 kangaroobooks@naver.com

ISBN 979-11-978978-0-1 (03370)